NEW
서울대 선정
인문고전
60선

51
미셸 푸코 지식의 고고학

NEW 서울대 선정 인문 고전 51

 미셸 푸코 지식의 고고학

개정 1판 1쇄 인쇄 | 2019. 8. 14
개정 1판 1쇄 발행 | 2019. 8. 21

조희원 글 | 조명원 그림 | 손영운 기획

발행처 김영사 | 발행인 고세규
등록번호 제 406-2003-036호 | 등록일자 1979. 5. 17.
주소 경기도 파주시 문발로 197 (우10881)
전화 마케팅부 031-955-3100 | 편집부 031-955-3113~20 | 팩스 031-955-3111

값은 표지에 있습니다.
ISBN 978-89-349-9476-3
ISBN 978-89-349-9425-1 (세트)

좋은 독자가 좋은 책을 만듭니다. 김영사는 독자 여러분의 의견에 항상 귀 기울이고 있습니다.
독자의견전화 031-955-3139 | 전자우편 book@gimmyoung.com
홈페이지 www.gimmyoungjr.com | 어린이들의 책놀이터 cafe.naver.com/gimmyoungjr

이 도서의 국립중앙도서관 출판예정도서목록(CIP)은 서지정보유통지원시스템 홈페이지(http://seoji.nl.go.kr)와
국가자료종합목록시스템(http://www.nl.go.kr/kolisnet)에서 이용하실 수 있습니다. (CIP제어번호 : CIP2018043082)

어린이제품 안전특별법에 의한 표시사항

제품명 도서 제조년월일 2019년 8월 21일 제조사명 김영사 주소 10881 경기도 파주시 문발로 197
전화번호 031-955-3100 제조국명 대한민국 ⚠주의 책 모서리에 찍히거나 책장에 베이지 않게 조심하세요.

미래의 글로벌 리더들이 꼭 읽어야 할 인문고전을 만화로 만나다

NEW
서울대 선정
인문고전
60선
51
미셸 푸코 지식의 고고학
조희원 글 · 조명원 그림

주니어김영사

| 기획에 부쳐 |

<서울대 선정 인문고전>이 국민 만화책이 되기를 바라며

제가 대여섯 살 때 동네 골목 어귀에 어린이들에게 만화책을 빌려주는 좌판 만화 대여소가 있었습니다. 땅바닥에 두터운 검정 비닐을 깔고 그 위에 아이들이 좋아하는 만화책을 늘어놓았는데, 1원을 내면 낡은 만화책 한 권을 빌릴 수 있었지요. 저는 그곳에서 만화책을 보면서 한글을 깨쳤고 책과의 인연을 맺었습니다.

초등학교 때는 용돈을 아껴서 책을 사서 읽었고, 중학교 때는 학교 도서 반장을 맡아 도서관에서 매일 밤 10시까지 있으면서 참 많은 책을 읽었습니다. 그 무렵 헤밍웨이의 《노인과 바다》를 손에 땀을 쥐며 읽으면서 인생에 대해 고민했고, 헤르만 헤세의 《수레바퀴 아래서》를 읽으며 사춘기의 심란한 마음을 달랬습니다. 김래성의 《청춘 극장》을 밤새워 읽는 바람에 다음 날 치르는 중간고사를 망치기도 했습니다.

당시 저의 꿈은 아주 큰 도서관을 운영하는 사람이 되어 온종일 책을 보면서 책을 쓰는 작가가 되는 것이었습니다. 나이가 들고 어느 정도 바라는 꿈을 이루었습니다. 큰 도서관은 아니지만 적당한 크기의 서점을 운영하고, 글을 쓰는 작가가 되었거든요. 저는 여기에 새로운 꿈을 하나 더 보탰습니다. 그것은 즐거운 마음과 힘찬 꿈을 가지게 해 주고, 나아가 자기 성찰을 도와주는 좋은 만화책을 만드는 일이었습니다. 이렇게 해서 만든 책이 바로 〈서울대 선정 인문고전〉입니다. 서울대학교 교수님들이 신입생과 청소년들이 꼭 읽어야 할 책으로 추천한 도서들 중에서 따로 50권을 골라 만화로 만든 것입니다. 인류 지성사의 금자탑이라고 할 수 있는 고전을 보기 편하고 이해하기 쉽도록 만화책으로 만드는 일은 쉬운 일은 아니었습니다. 약 4년 동안에 수십 명의 학교 선생님들과 전공 학자들이 원서의 내용을 정확하게 전달할 수 있도록 밑글을 쓰고, 수십 명의 만화가들이 고민에 고민을 거듭하면서 만화를 그려

50권의 책을 만들었습니다.

〈서울대 선정 인문고전〉이 완간되었을 무렵에 우리나라에 인문학 읽기 열풍이 불기 시작했습니다. 〈서울대 선정 인문고전〉은 인문학 열풍을 널리 퍼뜨리는 데 한몫을 하면서 독자들의 뜨거운 사랑과 관심을 받았습니다. 덕분에 지금까지 수백만 권이 팔리는 베스트셀러가 되었습니다. 그 사랑에 조금이나마 보답을 하기 위해 《칸트의 실천이성 비판》, 《미셸 푸코의 지식의 고고학》, 《이이의 성학집요》 등 우리가 꼭 읽어야 할 동서양의 고전 10권을 추가하여 만화로 만들었습니다.

〈서울대 선정 인문고전〉은 어린이와 청소년이 부모님과 함께 봐도 좋을 만화책입니다. 국민 배우, 국민 가수가 있듯이 〈서울대 선정 인문고전〉이 '국민 만화책'이 되길 큰마음으로 바랍니다.

손영운

| 글 작가 머리말 |

푸코의 철학을 이해하는 길잡이가 되기를

미셸 푸코는 20세기 가장 영향력 있는 사상가 중 한 사람입니다. 현실을 바라보는 푸코의 독특한 시각이 영향력을 행사하게 된 데에는 여러 가지 이유가 있겠지요. 우선 푸코가 철학을 바라보는 사람들의 시각이 바뀐 시대에 청년기를 보냈다는 것입니다. 유태인을 비롯, 많은 사람들이 희생되었던 제2차 세계대전을 겪으며 당시 사람들은 인간의 이성에 대해 반성하기 시작했습니다. 17세기 이래로 계몽주의의 기치 아래 인간이 이성을 잘 활용하면 무엇이든 할 수 있다는 믿음이 서구인들의 마음속에 깊이 자리 잡고 있었지만 현실은 그렇지 않았기 때문입니다. 인간이 과학을 발전시켜 얻게 되었던 무기들은 오히려 인간을 살육하는 데 사용되었고, 이성을 중시하던 당시 철학은 인간의 감성을 하찮게 여기는 태도 때문에 인종 차별과 그로 인한 대규모 학살을 가져왔습니다. 이 같은 모습은 당시 많은 사람들에게 충격으로 다가왔습니다. 그 후 젊은 철학자들은 이성을 인간의 본질로 여기던 기존의 철학 대신 인간과 인간을 둘러싸고 있는 세계를 설명할 수 있는 새로운 사고의 틀을 수립하기 시작했습니다.

이 책은 그러한 문제에 대한 푸코의 대답 중 하나를 담고 있습니다. 푸코가 말하는 철학은 인간이 세계의 중심 또는 특별한 존재라는 생각에서 출발하는 서구 전통 철학과는 다릅니다. 오히려 인간이란, 세계라는 거대한 짜임 속에서 인식하고 사유하며 행동하는 존재라는 입장에서 철학을 시작하죠.

그 첫 단계가 《지식의 고고학》에서 다루어지는 인식론, 즉 우리는 어떻게 앎을 구성해 가는가에 대한 설명입니다. 아마도 세상에서 가장 난해하고 재미없는 책 중의 하나일 이 책을 통해 제가 여러분께 전하고자 하는 이야기는 우리가 '안다'고 말하는 것은, 나의 이성이 사물을 포착하고 분석하여 전해지는 앎

이라기보다는 사물과 언어, 제도로 짜여 있는 이 세계가 내게 보여 주고 나의 주의를 끄는 작용의 결과라는 사실입니다. 푸코의 인식론을 설명하는 이 책이 여러분들을 푸코의 다음 논의로 이끄는 좋은 길잡이가 되기를 바랍니다.

조희원

| 그림 작가 머리말 |

사유의 즐거움을 경험하길 바라며

미셸 푸코는 1960년대 프랑스에 출현한 구조주의의 기수로 알려진 인물입니다. 수많은 저서를 통해 20세기 철학에 많은 영향을 미친 인물이기도 하죠. 푸코의《지식의 고고학》은 인간이 어떻게 '앎'을 구성해 가는지를 설명하는 책입니다. 그리고 이를 알아가는 과정에서 어떤 방법으로 관련 학문을 연구해야 하는지, 기존의 역사 연구 방법을 어떻게 봐야 하는지 등의 이야기를 담고 있습니다. 더불어 새로운 역사학적 방법론 또한 소개하고 있지요.

사실 이전까지의 역사 연구는 어떤 사건이나 누군가의 발언을 분석하는 것을 기본으로 그 속에 숨겨진 주장이나 주제를 찾아내는 것을 역사 연구의 본질이라고 생각했습니다. 그런데 푸코가 주목한 것은 역사적인 사건이나 발언의 배경에 숨어 있는 법칙, 이른바 무의식적인 사회 구조를 밝혀내는 일이었습니다.

처음 푸코의《지식의 고고학》을 접했을 때가 생각납니다. 우선 글을 이해하는 것 자체가 녹록지 않았습니다. 이걸 어떻게 그림으로 옮길 수 있을지 걱정이 앞섰습니다. 하지만 그럴 때마다 푸코의 생각과 말에 집중했습니다. 제가 해야 할 일은 푸코의 생각을 보다 많은 사람들이 공유할 수 있도록 그림으로 쉽게 풀어내는 일이었으니까요.

실제로 철학자 푸코가 생각했던 무의식, 역사 고찰, 담론 등을 그림으로 표현하는 일은 만만치 않았습니다. '몇 번을 곱씹어 읽어 봐야 고개가 한두 번 끄덕여지는 글을, 이토록 깊이 있는 생각들을 어떻게 풀어내지?' 이런 질문과 고민은 작업 내내 제 머릿속을 떠나지 않았습니다. 결국 원작인《지식의 고고학》을 읽고 또 읽으며, 생각하고 분석하기를 반복하며 그림을 그릴 수밖에 없었습니다. 독자 여러분이 보다 쉽고 재미있게 푸코의 철학을 이해할 수 있기를 기대하면서 말입니다. 그럼에도 아쉬움은 많이 남습니다.

역사호

이 책이 독자 여러분에게 푸코의 철학과 만날 수 있는 기회를 제공할 수 있기를 바랍니다. 더불어 인문학이 우리에게 주는 깊이 있는 사고와 풍요로운 마음의 여유를 느낄 수 있었으면 좋겠습니다. 모쪼록 푸코의 철학의 세계를 경험하는 것으로 사유의 즐거움을 맛보시길 바랍니다.

조명원

| 차례 |

구
조
주
의
철학사상

이성
계급투쟁
고고학
목적, 방법
무의식

1장 미셸 푸코는 누구일까?

프랑스는 제2차 세계대전(1939~1945)을 겪는 동안 나치 독일의 지배를 받았어.

당시 프랑스 국민들은 나치에게 우호적인 정치인들과,
친구.
사이

나치에게 격렬하게 저항하는 레지스탕스 사이에서 눈치를 보며 힘겹고 비겁한 시간을 보낼 수밖에 없었어.
나치가 망할까?
우리가 레지스탕스를 도와 나치랑 싸워야 나치가 망하지.
누가 그걸 몰라? 괜히 나섰다가 잘못될까 봐 무서워서 이러는 거지….

1945년 일본이 무조건 항복을 하면서 제2차 세계대전은 막을 내렸어.

하지만 프랑스 국민들의 삶은 크게 달라지지 않았어. 여전히 힘든 생활을 계속해야 했거든.

전쟁이 끝난 후 드골 장군은 강한 프랑스를 꿈꾸며 정치와 외교에서 독자적인 입지를 굳히려고 노력했어.
강한 프랑스!

프랑스 혼자 힘으로도 영토를 방어할 수 있도록 핵 기술을 갖고자 했고, 그 덕분에 프랑스는 핵 강국이 되었지.

또한 조상들로부터 물려받은 영토와 식민지를 잘 관리하려고 했어.

민족자결을 주장했던 드골은 식민지를 직접 지배하기보다는 자치권을 주어 프랑스령으로 묶어 두는 데 더 관심이 많았지.
자치권

실제로 1958년 프랑스의 식민지에서 벗어나려던 알제리가 독립전쟁을 선포하자 프랑스는 이를 찬성하는 쪽과 반대하는 쪽, 두 파로 나뉘었어.
전쟁
반대

드골은 둘로 나뉜 프랑스를 안정시키기 위해 *관용의 정치를 펼쳤지.

저 사르트르라는 녀석이 독립군에게 자금을 전달했습니다, 각하. 혼을 내주어야 합니다.

놔두게나. 그도 프랑스 인일세.

뜨끔!

드골은 알제리의 민족자결을 인정하는 프랑스군 철수안(1961년)과 알제리의 독립을 위한 에비앙 협정안(1962년)을 국민투표로 통과시켜 알제리 문제를 평화적으로 해결했지.
민주적인 방식으로.
투표

* 이 일은 실제 알제리 인들의 독립자금 전달책이었던 철학자 사르트르와 드골의 일화임.

* 1963년 드골은 영국이 유럽경제공동체(EEC)에 가입하는 것에 대해 거부권을 행사했다.

이렇게 내부적으로 힘을 모으는 한편, 외교적으로는 자주외교를 주장하며 제2차 세계대전 이후 강대국으로 떠오른 *영국과 미국을 견제했지.

도움 필요없소.

드골은 프랑스가 중심이 되는 하나의 유럽을 건설하겠다는 신념을 가지고 있었거든.

프랑스가 유럽뿐 아니라 세계까지 관리하길 원했지.

하지만 그 역할은 이미 미국 차지였어. 덕분에 프랑스는 미국이나 소련과 친하지 않은 나라들, 즉 *제3세계라 불리던 나라들과 친하게 지낼 수 있었지.

그럼 당시 프랑스 국민들은 강한 프랑스를 만들겠다는 드골을 어떻게 생각했을까? 아마 강한 프랑스를 만드는 데 반대하는 국민은 없었을 거야.

힘!

다만 국민들이 힘들어했던 건 강한 프랑스를 만들기 위해 자유가 제한되는 것이었단다.

금지

원래 프랑스인들은 자유롭게 생각하고

음~.

그 생각을 자유롭게 말하고

또 자유롭게 토론하기를 좋아하는 사람들이거든.

* 드골 대통령은 미국의 패권주의적 본질을 꿰뚫어 보고 민주와 공산이라는 두 개의 적대 진영으로 양분되었던 냉전시절에 제3세계의 비동맹운동과 결속하며 독자 노선을 추구했다.

그런 그들이 자유를 제한받는 건 참기 힘든 일이었어.
빵보다 자유를 달라~.
배부른 돼지가 되기보다는 배고픈 소크라테스가 되겠소!
으이구, 잘난 철학자님들 나셨네.

게다가 당시에는 사람들이 생각을 정리하는 데 도움이 될 만한 적당한 철학도 없었어. 기껏해야 실존주의 철학 정도였지.
장 폴 사르트르
흠, 내 얘길 잘 들어보라고~! 우리 인간에게 정해진 운명이란 없어. 내가 무엇을 어떻게 결정하느냐가 중요한 거지.

하지만 실존주의 철학도 당시 지식인들이 따르던 공산주의 이론과 마찰을 빚으면서 비판의 대상이 되었지.
내가 보기에 공산주의란….
뭣이라? 공산주의의 'ㄱ'자도 모르는 자가…. 더 이상은 참을 수 없다!

그렇다고 공산주의도 제대로 된 대안이 될 수 없었어.
안 되나…? 쩝.

마르크스의 이론에 따르면, 당시 가장 성숙한 자본주의 국가에서 계급혁명이 일어나 공산화가 되어야 했는데,
19~20세기에 가장 성숙한 자본주의 국가가 어디예요?
음, 그건 영국과 프랑스지.

실제로 공산혁명에 성공했던 나라는 농업 국가였던 러시아와 중국이었어.
그럼 공산주의 혁명은 영국과 프랑스에서 일어났나요?
까악…
쩝….

문제는 공산주의 이론에만 있는 게 아니었어.

레닌이 죽은 후 정권을 잡은 스탈린이 공산주의 이념이 아닌 권력에 강한 집착을 보였거든.
권력

자신에 반하는 사람들을 무자비하게 숙청했고, 이 일은 유럽에 있는 공산주의 지식인들에겐 엄청난 충격이었지.

이 같은 모순은 공산주의를 새로운 철학이자 세계관으로 믿고 따르던 젊은 지식인들에게 아주 큰 상처를 주었어.

그러나 공산주의를 대신할 새로운 세계관은 나타나지 않았지.

뿐만 아니라 이때 민주주의의 수호자를 자처하던 미국은 베트남에서 끔찍한 만행들을 저질렀어.

쿠르릉…

미국과 세계 곳곳에서 이를 규탄하는 반전운동이 일어나는 등, 저항 문화가 만연했지.

평화!
종전!
END THE WAR IN VIETNAM NOW

급속한 산업화로 세대 간의 갈등도 커져만 갔어.

대화를….
말이 안 통해요.

1960년대의 프랑스도 마찬가지였어. 사상과 정치, 세대 간의 갈등 등으로 매우 혼란스러웠지.

미셸 푸코는 바로 이 시기에 철학을 공부하기 시작했단다.

지금까지 우리는 푸코가 어떤 시대를 살았는지에 대해 알아보았어.

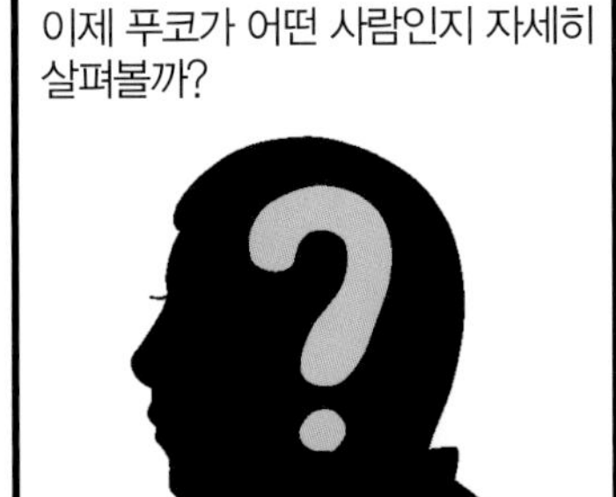
이제 푸코가 어떤 사람인지 자세히 살펴볼까?
?

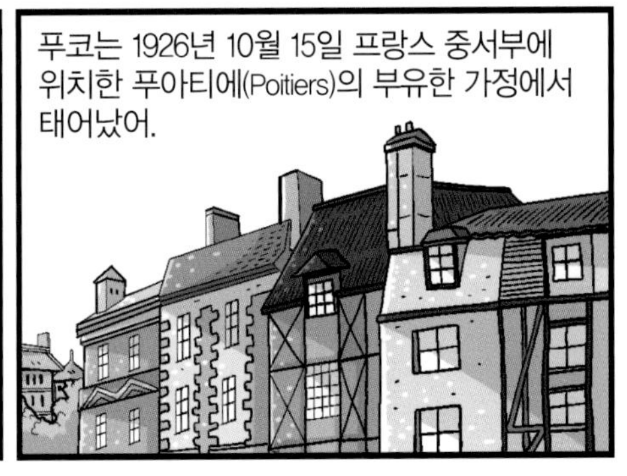
푸코는 1926년 10월 15일 프랑스 중서부에 위치한 푸아티에(Poitiers)의 부유한 가정에서 태어났어.

푸코의 아버지 폴은 푸아티에의 의대 교수이자 외과 의사였지.

폴은 영리한 아들이 자신의 뒤를 이어 의사가 되기를 바랐어.

푸코는 그다지 행복한 유년시절을 보내지 못했어. 우연히 자신이 동성애자라는 걸 깨닫게 됐거든.
갸우뚱.
기분이 이상해.

당시 유럽에서는 동성애를 인정하지 않았어.
여기서 뭐 해?
어머!

특히 *예수회가 설립한 학교에서 가톨릭 전통이 강한 교육을 받았던 푸코에게 자신이 동성애자라는 사실은 받아들이기 힘든 일이었지.

푸코는 아무에게도 말할 수 없는 비밀을 간직한 채 혼자 괴로운 시간을 보내야 했어.

* 예수회: 개신교의 가톨릭 비판에 맞서 가톨릭 스스로 반성을 촉구하며 파리에서 창설된 수도회.

혼자 있는 일이 많았던 푸코는 공부에 몰입하기 시작했어.

중 · 고등학교 시절의 푸코는 역사에 많은 흥미를 가졌고,
역사

고대 그리스어와 라틴어도 열심히 공부했지.

그리고 고등학교 때부터 점차 철학에 빠져들었어.

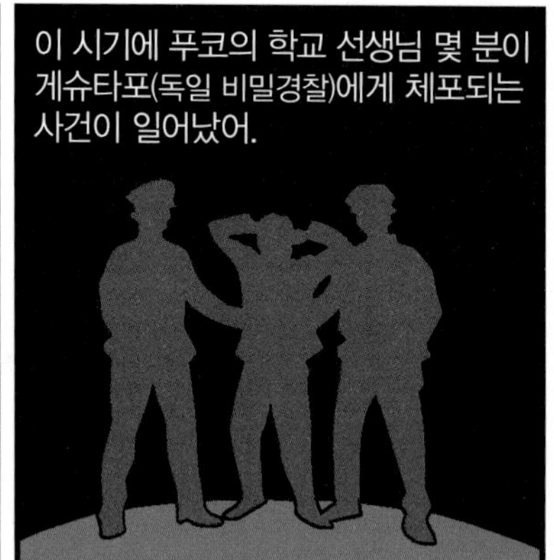
이 시기에 푸코의 학교 선생님 몇 분이 게슈타포(독일 비밀경찰)에게 체포되는 사건이 일어났어.

여기에는 철학 선생님도 포함되어 있었지.
철학을 하는 내가 이런 말도 안 되는 상황을 보고만 있을 수 없지.

철학을 간절히 배우고 싶었던 푸코는 선생님한테 개인 교습을 받게 됐는데,
철학의 본질은 ….

이때 플라톤(Platon), 데카르트(Descartes), 칸트(Kant)와 같은 고전 철학자들은 물론,

스피노자(Spinoza)나 베르그송(Bergson) 같은 당시 비주류였던 철학자들의 이론도 배웠지.

결국 푸코는 의학 공부를 하길 바랐던 아버지의 뜻을 저버리고 철학을 공부하기로 마음먹었단다.
죄송해요.
괜찮다.

푸코는 철학을 공부하기 위해 대학 위의 대학으로 불리는 그랑제꼴(Grandes écoles)에 갔어. 그랑제꼴은 전공에 따라 특화된 소규모의 대학이라고 할 수 있어.

그랑제꼴 정도는 나와야 훌륭한 사람으로 대우를 받는다고!

푸코는 그랑제꼴 중에서 파리에 있는 고등사범학교(École Normale Supérieure, 줄여서 ENS)에 가기로 결심했어.

꼭 입학할 거야.

파리고등사범학교는 그랑제꼴 중에서도 상위에 있는 그랑제꼴이야. 이곳에 가기 위해서는 몇 가지 관문을 통과해야 해.

꼭 들어갈래.

우선 고등학교 성적이 상위 10퍼센트 이내의 학생에게만 열려 있는 준비반에 들어가야 해.

10%
상위

준비반에서도 또다시 상위 10퍼센트인 학생들만이 상위의 그랑제꼴에 입학할 수 있었어.

인재

그랑제꼴에 얼마나 많은 학생을 입학시켰느냐에 따라 명문 고등학교의 서열이 정해졌지.

명문고
축
그랑제꼴 합격생
25명 배출

푸코가 고등학교를 들어갈 무렵에는 파리 중심부에 있는 루이 대왕 고등학교(Lycée Louis Le Grand)와 앙리 4세 고등학교(Lycée Henri IV)가 명문 중의 명문이었지.

어려서부터 굉장한 우등생이었던 푸코는 인문학자와 교사를 양성하는 그랑제꼴인 파리고등사범학교를 목표로 열심히 공부했어.

이를 위해 우선 파리의 앙리 4세 고등학교 준비반에 들어갔지.

이때 푸코가 만난 철학 교사가 바로 장 이폴리트(Jean hyppolyte)였어.
안녕?

이폴리트는 프랑스에서 헤겔 연구의 최고 권위자 중 한 사람으로 인정받은 철학자야.

이폴리트의 헤겔 수업은 어린 푸코에게 강한 인상을 남겼어.

1946년 19세의 푸코는 파리고등사범학교에 합격했어.
축
합 격

학교에서는 심리학과 철학 수업을 열심히 들었고,

정신병에 대한 연구를 위해 정신 병원을 방문하기도 했어.
아빠!
넌 누구냐?

1948년에는 철학 교사 자격증을 땄고,
자격증
교사

1949년에는 심리학 학사 학위를 받았어.

그렇지만 푸코의 삶은 행복하지 않았단다.

특히 기숙사의 공동생활에 잘 적응하지 못했어.

푸코는 밤에 몰래 기숙사를 빠져나와 동성애 모임에 다녀오곤 했는데 그때마다 수치심과 후회로 며칠씩 앓아눕기도 했어.

반면에 자신이 동성애자라는 사실 때문에 남다른 생각에 깊이 빠지곤 했어.

남들에게 이해받을 수 없는 자신의 성 정체성과 그에 따른 수치심은 현재 자신에게 주어진 규율이 과연 옳은 것인지를 의심하게 했고,

내가 여자 대신 남자를 사랑하는 것이 정말 죄악인 걸까?
그게 나쁜 일이라고 누가, 왜 정한 거지?

그것 때문에 괴로워하는 자신의 심리에서 벗어나

내가 지금 이렇게 괴로운 건 내 잘못 때문인 걸까? 남들과 다르다는 건 죄악일까?

다른 사람들이 겪고 있는 심리적 방황과 정신 병리 현상에 깊은 관심을 가졌어.

하나님 믿소?
괜히 슬퍼.
막 화가 난다.

푸코는 모든 사람이 정해진 기준이나 규율에 완벽히 들어맞는 삶을 사는 것은 아니라는 것을 깨달았어.

바른길
내가 가고 싶은 길로 갈 거야.

그 후 '그렇다면 현재의 규율과 규정은 누가 만든 것이고,

또 우리가 진리라고 여기는 것은 누가, 왜 만들어 낸 것일까?'라는 질문을 하기 시작했지.

?

푸코는 구조가 우리의 사고방식과 행동 양식을 결정짓는다는 알튀세의 구조주의 철학에 깊이 공감하면서

구조주의

프로이트와 라캉, 클라인에 이르는 정신분석학 이론들을 파고들기 시작했어.

푸코는 알튀세의 권유로 1950년에 공산당에 가입했어.
공산당

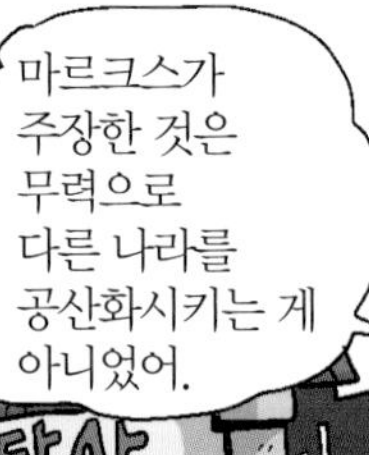

하지만 1956년 프랑스 공산당이 소련의 헝가리 침공을 지지하자, 이에 크게 실망한 푸코는 다른 지식인들과 함께 공산당을 탈당했어.
마르크스가 주장한 것은 무력으로 다른 나라를 공산화시키는 게 아니었어.
맞아, 소련이 마르크스의 이론을 잘못 적용하는 것을 더 이상 두고 볼 수는 없어.
그래, 우리가 생각했던 공산당은 이런 게 아니야.
당사

푸코는 공산당을 탈당한 후 철저한 반(反)공산주의자가 되었어. 하지만 마르크스주의 자체를 거부한 것은 아니었어.
당신은 침략자!

푸코가 보기에 문제는 19세기에 만들어진 마르크스주의를 20세기의 사회에 그대로 적용하려는 이론가들의 태도였어.
물고기가 물속에 살듯이 마르크스주의는 19세기의 사고 속에 존재하는 거야. 마르크스주의는 19세기를 벗어나면 어디에서도 숨을 쉴 수 없게 돼.
둥둥...
19세기
자유시장
20세기

1960년대와 1970년대 프랑스의 복잡한 사회 구조를 설명하기 위해서는 마르크스주의의 어떤 부분들은 받아들이고 또 어떤 부분들은 비판해야 했어.
완벽이란 없다고.
마르크스→

예를 들어, 경제적 불평등이나 권력 관계가 사회 구조를 결정한다는 마르크스의 지적은 타당하다고 여겼어.
아니, 노동은 내가 하는데 내 노동에서 생겨난 이윤은 왜 사장님만 갖는 거예요?
이 공장이 내 거거든. 이 공장 안의 기계도 내 거야. 이 공장 없으면 넌 어디서 일할 건데?

아니, 그래도 제 노동력이 없으면 물건을 생산할 수 없잖아요!
웃기지 마, 싫음 관두셔! 널린 게 노동자야.

에잇, 돈이 있어야 공장을 사고, 공장이 있어야 돈을 많이 버니…. 뭐든 있는 놈들 배만 불리는 세상이군….

푸코는 20세기의 이론가들은 권력이 무엇인지를 분명하게 밝혀야 한다고 믿었어.
힘일까?
돈일까?
권력

또한 경제적 요소가 사회 구조를 결정짓는지에 대해서도 깊이 생각해 봐야 한다고 주장했어.
생산 수단을 소유하거나 자본을 많이 갖게 되면 권력이 따라 오는 걸까?
의사나 변호사처럼 지식을 기반으로 하는 사람들은 어떻게 생각해야 할까?

푸코의 이런 입장은 많은 사람들의 비판을 받았어.
그래서 푸코는 마르크스주의자라는 거야, 아니라는 거야?
좌파냐, 우파냐? 태도를 분명히 하라고!
넌 누구 편이냐?

사실 푸코의 입장은 복합적이었어. 고정되고 억압된 정치적 입장을 보였던 공산당에 대해서는 분명히 반대했지만 순수 마르크스주의와는 일정 부분 타협하길 원했거든.
독재
인권
노동계급

고정적이고 억압적인 것에 반대하고 저항하는 푸코의 정치적 성향은 이후에도 여러 번 드러났어.

아마도 난 정치라는 체스 판 위에서 거의 모든 자리에 서 본 것 같아.
때로는 한 칸씩 자리를 옮기기도 했고, 때로는 여러 자리에 동시에 서기도 했지.

난 무정부주의자이기도 하고, 좌파이기도 하고, 껍데기 마르크스주의자이기도 하지.

또는 비밀스러운 반마르크스주의자이기도 하고, 드골주의에 봉사하는 관료이기도 하고, 신자유주의자이기도 해.
웃기지 마, 그게 어떻게 가능해?
자유경제

하지만 사실인걸! 난 하나의 고정된 정체성을 갖고 싶지 않아.
오히려 다양한 방식으로 분류되고 평가받는 게 즐거운데?

푸코가 생각하는 정치란 한 사람의 위대한 지도자가 제시한 유토피아를 좇아 따라가는 게 아니었어.
자, 이제 나를 따르라!
와~, 우리 모두 하나 되어 지도자를 따릅시다!
따르기만 하면 밝은 미래가 우릴 기다립니다!

푸코는 한 사람의 의지를 다른 사람에게 강요하는 정치는 사람들을 획일적으로 만들 뿐이라고 생각했지.
한 줄로 서시오.

푸코가 생각하는 정치란 인간과 인간이 접촉하는 곳이면 어디에서든지 작동하는 사회적 관계로서의 권력이야.

푸코는 우리의 일상생활에서 벌어지는 모든 권력 관계가 정치라고 말해.
오늘 일찍 올 거지?
오늘 아마도 회식이….
일찍 오시지~!
넵, 알겠습니다!

푸코에겐 인간 사회에서 벌어지는 갖가지 행위와 상호작용 모두가 정치야.
학교에서는 선생님 말씀을 잘 들어야지?
에잇, 학교에서는 선생님이 권력이고,
집에서는 엄마가 권력이고…. 난 언제 권력을 갖지?

푸코는 일상의 모든 생활에 권력 관계가 존재한다고 생각했어.
그럼, 학생회 임원직에 나가 보지?
됐다, 됐어. 그깟 것도 권력이냐?
그것도 친구들에게 정치를 잘 했을 때나 가능한 권력이라고.

정치나 권력 관계를 완전히 분석해 내는 일은 끝없이 엉켜 있는 실타래를 풀어내는 것만큼 불가능한 일일 거야.

그래서 푸코는 권력이 어떻게 작동하는지를 밝히는 연구를 하기 시작했어.
권력학
정치

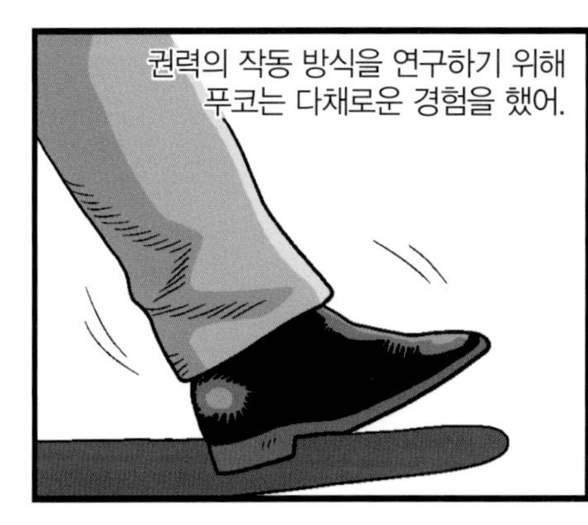
권력의 작동 방식을 연구하기 위해
푸코는 다채로운 경험을 했어.

1965년~1966년 사이에 프랑스 교육위원회 위원직을 맡아
중등·고등 교육제도를 검토하고 정부에 교육정책을
제안하는 일을 했고,
교육위

1976년에는 정부가 주도하는
형법개혁위원회에 참여하기도 했어.
법

프랑스 교육부의 고등교육부
부장으로 발탁될 수도 있었지만

동성애자라는 이유로 무산되기도 했지.
취소!

또한 푸코는 1955년~1958년까지 스웨덴의
웁살라대학교에 근무하면서 박사학위 논문,
《광기의 역사(Histoire de la folie)》를 집필했어.

1958년에는 폴란드의 바르샤바대학교
프랑스 센터 책임자로 일했고,
책임

1959년에는 독일 함부르크대학의
프랑스 센터 책임자로 일하기도 했지.
책임자

1960년에 프랑스로 돌아온 푸코는 그 이듬해 박사학위를 받았어.
더불어 박사학위 논문인 《광기의 역사》 출판을 계기로 푸코는
철학계의 태양으로 떠올랐어.
광기의
역사

푸코는 1962년~1966년까지는
클레르몽페랑대학에서 교수로
재직하면서 철학과 심리학을 가르쳤고,

1966년~1968년에는 튀니지에 있는 대학에서 방문교수 자격으로
철학, 미학, 역사, 심리학, 언어 철학을 강의했어.

1968년에는 프랑스의 대표적인 현대 철학자
들뢰즈와 함께 파리 외곽 뱅센느(Vincennes)에
개방 대학(open university) 형태의 매우 실험적인
학교를 열었어.

푸코는 이 학교에서 철학과 학과장을 맡았는데, 이때 그의 강의가
너무 훌륭해 엄청난 수강생들이 몰려들었다고 해.

와글 와글

그 후 프랑스 정부가 파리 북쪽의 생드니(Saint Denis)
지역에 학교를 지어 학생들을 이전하도록 했는데
그것이 지금의 파리 8대학이야.

이 때문에 파리 8대학은 지금까지도 프랑스 현대
철학이 아주 발달한 학교로 유명하지.

철
학

1969년 푸코는 프랑스의 최고 석학들만이 강단에
설 수 있다는 꼴레주 드 프랑스(Collége de France)의
교수로 선임되었고,

그곳에서 푸코는 하나의 입장만 고수하는 기존의 철학에
반대하는 의미에서 철학이라는 명칭 대신
〈사상 체계의 역사〉라는 분야를 만들어 강의했어.

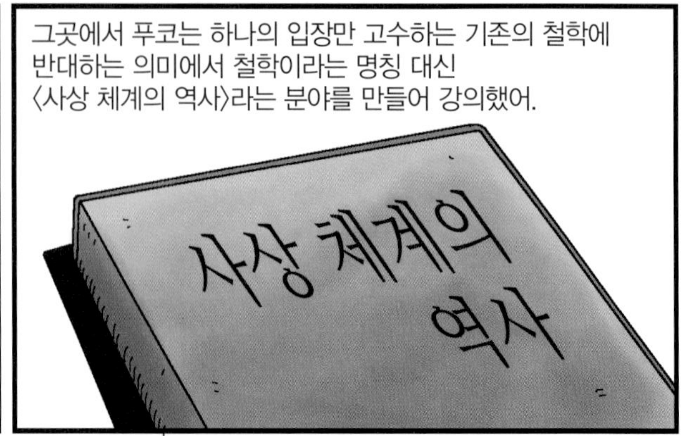
사상 체계의
역사

푸코는 기존의 철학자들과 달리 세계의 근원이라거나 인간의 본질을 추구하는 형이상학적 주제를 연구의 대상으로 삼지 않았어.

철학

대신 그는 현실에서 볼 수 있는 광기, 지식, 감옥, 성(性)의 문제를 분석하는 데 전념했어.

그는 강의와 글을 통해 부르주아가 자신들의 기득권을 유지하기 위해 경직되고 억압된 사회 구조를 만들어 왔음을 세상에 폭로했고,

사회악

우리의 삶을 규정짓는 틀을 변화시키기 위한 투쟁에 적극 참여했어.

투쟁
펑
펑

1968년 '5월 혁명' 때에는 학생들의 주장에 귀를 기울이며,

주장

학생들의 대학 점거 농성을 지지하고 부르주아를 비판*하다가 체포되기도 했지.

* 소르본느대학이 위치한 라틴 지구에 학생들과 노동자들이 바리케이트를 치고 무력시위를 벌임.

또한 푸코는 비인간적인 감옥의 환경을 개선하고,

수감자들이 자신의 의견을 개진할 수 있는 통로를 만들기 위해 노력했어.

제가 힘써 볼게요.

이를 위해 수감자들을 조직화하다 또다시 체포*되기도 했어.

* 1971년에 라 상테 감옥 주변에서 전단지를 돌리다가 체포됨.

1971년~1973년에는 인종주의와 베트남전쟁에 반대하는 대규모 집회에 참가했으며,
WAR NO
NO WAR VIETNAM
NO BLOOD NO.US

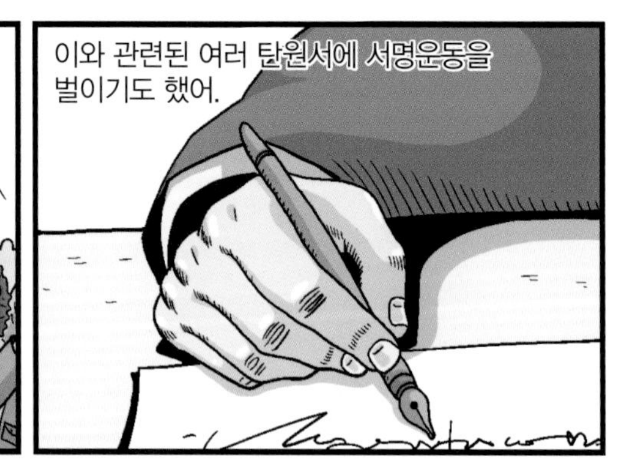
이와 관련된 여러 탄원서에 서명운동을 벌이기도 했어.

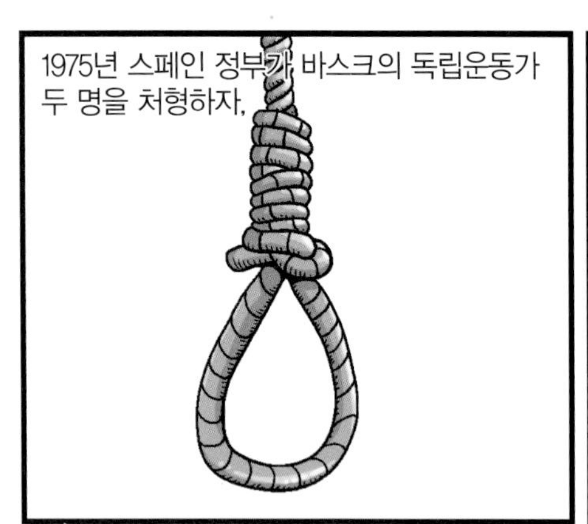
1975년 스페인 정부가 바스크의 독립운동가 두 명을 처형하자,

푸코는 이에 항의하기 위해 대표단의 일원으로 스페인을 방문했다가 스페인 정부로부터 강제 추방을 당하기도 했어.
추방

또한 구소련의 반체제 인사 탄압에 반대하는 캠페인을 앞장서서 벌였고,
반대
탄압 중지!!

폴란드의 반공산주의 운동에도 참여했어.
민주주

이처럼 푸코는 권력자나 우파 세력들뿐만 아니라 독단적인 노선을 걷는 공산주의에도 적극적으로 반대하는 운동을 벌였지.
반대

하지만 자신의 동성애 문제에 대해서만큼은 소극적이었던 것 같아.

푸코는 섹슈얼리티의 문제를
중요한 정치적 문제로 여겼고,

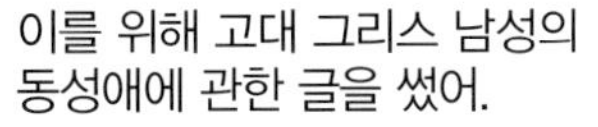

이를 위해 고대 그리스 남성의
동성애에 관한 글을 썼어.

그러나 자신의 성 정체성을 당당히
밝히거나

게이*의 인권 운동에는 적극 참여하지
않았지.

인정하라!
NOW

이런 일로 그는 많은 비판을
받았어.

하지만 당시 푸코가 자신의 동성애를
떳떳하게 밝히지 못한 건 그리 놀랄
일은 아니었어.

* 게이: '동성애자'를 달리 이르는말.

1970년대까지 동성애에 대한 사람들의 시선은 곱지
않았거든.

웅성..
웅성..

1958년 폴란드의 바르샤바대학에서 쫓겨난 것도,
1970년대 프랑스 교육부 고위직에 임용되지 못한 것도
그가 동성애자라는 사실 때문이었어.

그렇다고 푸코가 동성애자들의
인권에 대해 항상 침묵했던 건
아니야.

1979년 파리에서 게이 총회가
열렸을 때 그는 기꺼운
마음으로 강연을 했고,

1982년 토론토에서 있었던 '게이 프라이드
(Gay Pride) 행진'에도 참여했어.

푸코 자신이 동성애자이긴 했지만 때론
게이 문화에 대해서 비판하기도 했어.

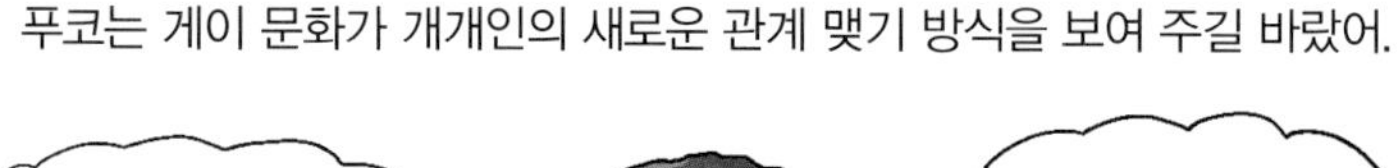

푸코는 게이 문화가 개개인의 새로운 관계 맺기 방식을 보여 주길 바랐어.

게이 문화는 앞으로 개인과 개인 사이의 새로운 관계 방식, 새로운 존재 방식, 새로운 소통 방식을 만들어 낼 수 있을 거야.
그동안 개인과 개인 사이의 관계는 결혼이나 가족제도와 같은 고정된 형식에 갇혀 있었거든.

하지만 게이 문화가 새로운 형식의
관계 맺기를 보이려면, 우선
기존의 문화 형식과 달라야만 해.

또 게이 문화가 특권을 갖고
다른 문화 형식들 위에
군림하려 해서도 안 되지.

그래야만 게이 문화는 동성애자들만의
전유물을 넘어서서 이성애(heterosexual)로까지
확산될 수 있는 새로운 형식의
사회적 관계로 거듭날 수 있을 거야.

하지만 게이 문화가 그의 바람처럼
새로운 형식의 사회적 관계 맺기로
나아갔다고 말하기는 힘들어.

동성애와 관련해 푸코를
비판하는 또 다른 시각이
있었거든.

그를 죽음으로 이끌었던 HIV(후천적 면역
결핍증, AIDS)에 관한 이야기들이야.

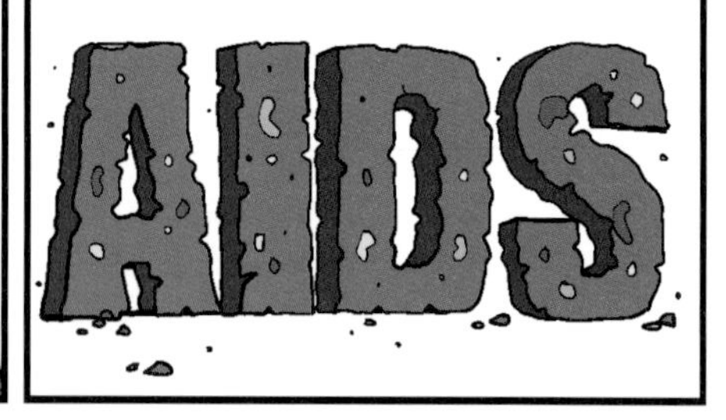
AIDS

실제로 푸코는 이 병으로 1984년 사망했어.

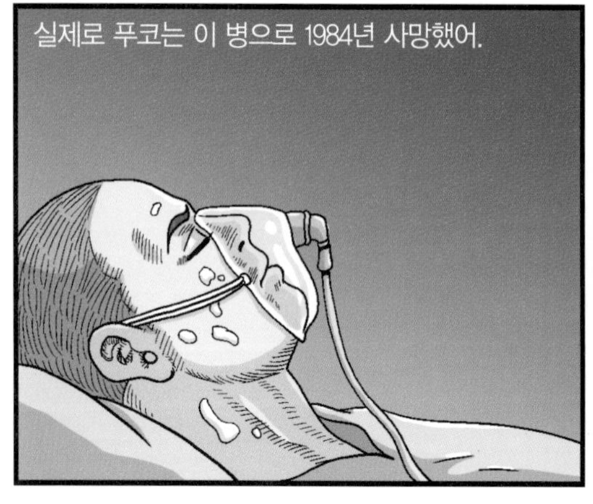

문제는 푸코가 이 병으로 사망했다는 것이 아니라 푸코가
자신의 병을 숨겨 왔다는 사실이야.

AIDS

푸코는 치열한 삶을 살면서
자신의 경험과 관심을 담아 내는
철학을 했어.

철학

푸코의 삶은 당시 프랑스의 정치적·
사회적 변화와 궤적을 함께해.

그래서인지 그의 철학은 시간에 따라
변화하지.

똑.
딱!
똑!
딱

푸코가 처음으로 관심을 가졌던
분야는 우리가 일상생활에서 얻는
지식이 어떻게 만들어지는가였어.

우리가 옳고 그름을 판단하는
기준으로서의 지식 말이야.

우리는 늘 기준이 주어진 삶을 살게
되고,

그 기준에 맞추어 판단을 하기 때문에 기준 자체를
의심하는 일은 드물지.

삐뽀! 삐뽀!
미친 사람을 병원에 보내는 것이 옳다는 생각은 언제부터 당연한 것으로 여겨진 걸까?
부우웅.

그러나 이미 정해진 기준에 맞지 않는 성 정체성으로
고통을 받았던 푸코는,

사랑에 대한 문제도 마찬가지야. 왜 여자는 남자를, 남자는 여자를 사랑해야만 하는 거지? 그런 건 대체 누가 정한 거야?
?

사람들이 어떤 사태를 설명하기 위해 만들어 낸 이야기들 중에
하나의 특정한 이야기가 어떻게 공인받고 유포되는지를
연구했고, 그 결과물이 바로 《지식의 고고학》이라는 책이야.

그럼 지금부터 본격적으로 《지식의 고고학》에
빠져 볼까?

지식의 고고학

2장

《지식의 고고학》은 어떤 책일까?

지식의 고고학

종교 지도자들은 '이 세상은 신의 뜻대로 움직인다'라는 종교적 진리를 주장해.
예수 천국!

하지만 그들이 믿는 종교적 진리는 종교가 무엇이냐에 따라 달라. 그래서 큰 충돌이 일어나기도 하지.
예수님만이 유일한 메시아야.
무슨 말씀? 너희들이 마호메트를 알기나 해?

반면에 종교가 없는 사람들에게 이런 싸움은 아무런 의미가 없어.
쟤들 또 싸우네.
어느 신의 말씀이 진리면 어때? 우린 아예 신 자체를 안 믿는데….

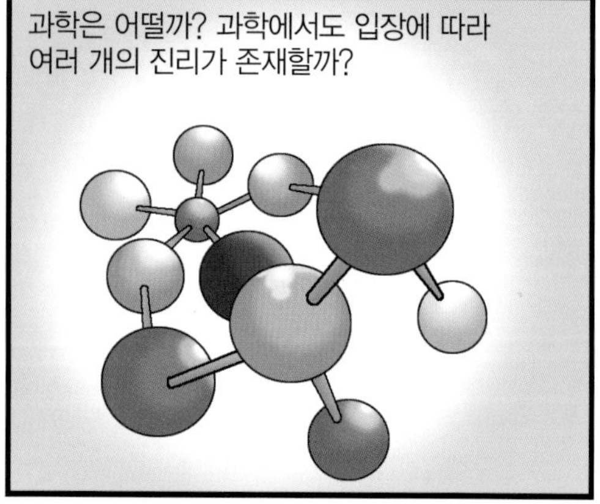

과학은 어떨까? 과학에서도 입장에 따라 여러 개의 진리가 존재할까?

과학의 영역은 종교의 영역과 달라. 태양이 지구 주위를 도는 것과 지구가 태양 주위를 도는 일이 동시에 참이 될 수는 없기 때문이지.
?
?
헉.
헉.
헉.
헉.

그렇다면 과학적 진리는 영원할까?
진리

물론 아니야. 새로운 발견이나 이론이 나타나면 진리의 내용이 변하잖아?
쌩!
이론

그렇다면 새로운 발견이나 이론이 곧바로 진리로 인정받을 수도 있을까?

그것도 아니야. 갈릴레오 갈릴레이(Galileo Galilei, 1564~1642)의 예를 보면 쉽게 알 수 있어.
안녕!

갈릴레오 갈릴레이는 세상의 중심은 지구이며 태양이 지구 주위를 돈다는 것을 진리로 여기던 시대에 코페르니쿠스의 지동설이 옳다는 것을 증명하기 위해 노력했어.
들어 봐. 지구가 태양의 주위를 도는 게 맞다니까!
뭐라고? 넌 눈도 없냐? 태양이 동에서 떠서 서로 지니까 태양이 도는 거지. 어떻게 지구가 돈다고 생각할 수 있어?

코페르니쿠스의 지동설이 옳다고 확신한 갈릴레이는 자신이 제작한 망원경으로 천체를 관측하기 시작했어.
조금만 기다려 봐. 내가 반드시 증명해 보일 테니까.

망원경은 원래 네덜란드 안경 기술자 리퍼세이가 발명한 거야.

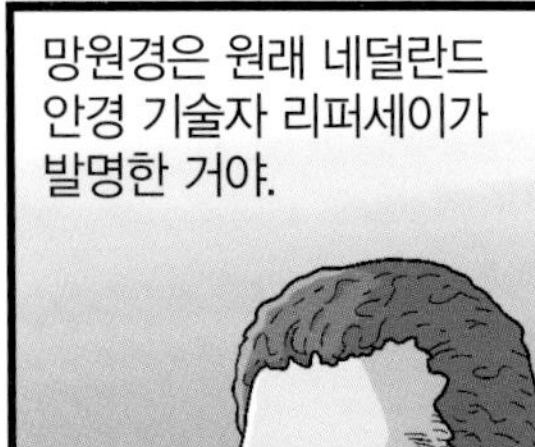

그는 1608년에 초보적인 쌍안경을 만들어 베네치아 공화국에 팔려고 했지.

이후 갈릴레오 갈릴레이는 리퍼세이가 만든 쌍안경을 발전시켜 40배 배율의 망원경을 완성했어.

이제 자세히 관찰할 수 있어.

갈릴레이는 자신이 만든 망원경으로 태양을 관측하여 태양에 흑점이 있다는 것을 밝혀냈고,

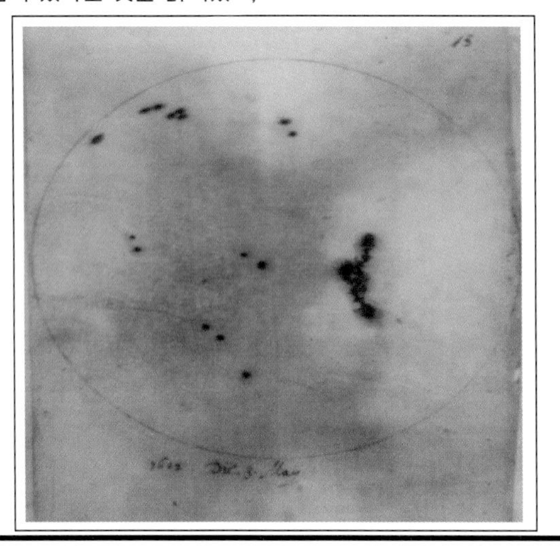

은하수는 무수한 별이 모여 만들어진다는 사실을 밝혀냈지.

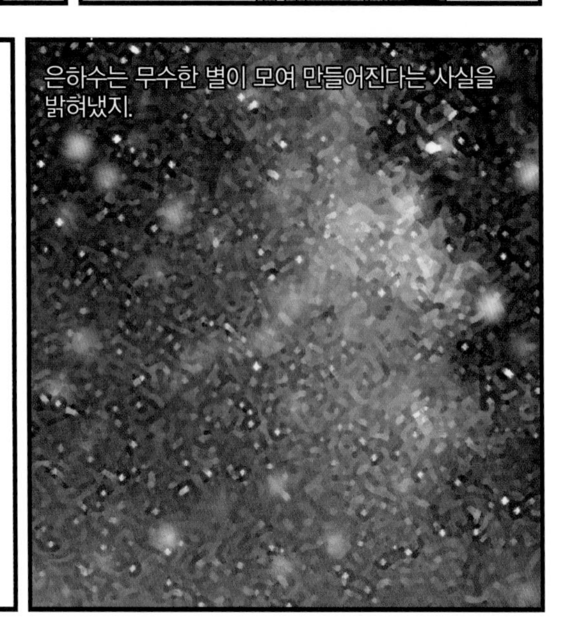

또한 목성 주위에 위성이 있고, 이들 위성이 목성을 중심으로 공전하고 있다는 것도 알아냈어.

목성 주위로 위성들이 돌고 있는 것처럼 태양 주위로 지구가 돌 수 있어!

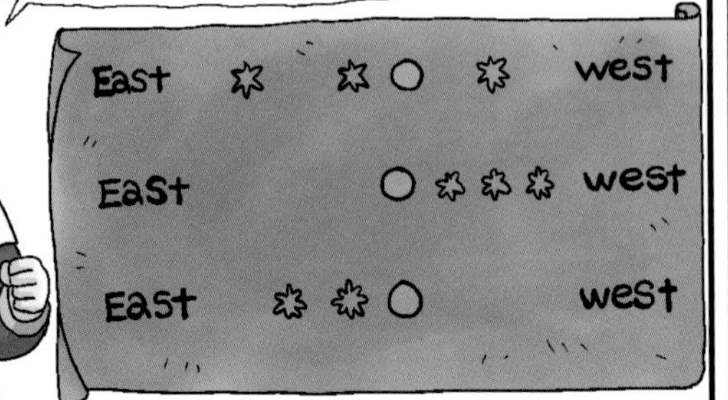
East
west
East
west
East
west

갈릴레이가 망원경으로 인류 최초로 밝혀낸 여러 가지 사실들은 코페르니쿠스의 지동설이 옳다는 것을 입증하는 중요한 증거가 되었지.

잘했어!

하지만 갈릴레이의 천문학적 발견과 지동설 주장에 그 당시의 모든 사람이 찬성하거나 동조한 것은 아니야.
우아, 그럼 지구가 태양 주위를 돈다던 코페르니쿠스의 이야기가 맞는 거야?
갈릴레이가 그걸 증명해 냈다는군.
그래? 그거 가짜 아니야?

당시의 과학자들은 누구 하나 망원경을 제대로 보려고조차 하지 않았어.
흥!

무슨 큰일 날 소릴? 지구가 태양 주위를 도는 게 사실이라면
지금까지의 우리 연구는 다 물거품이 될 텐데!

특히 천동설을 고집하는 로마 교회의 반발은 매우 거셌어.
우주의 중심은 지구!

1616년 로마 교회의 이단 심문소는 갈릴레이가 주장하는 지동설을 이단으로 규정한다는 결정을 내렸어.
금지

그들은 갈릴레이에게 성서의 내용과 모순되는 코페르니쿠스의 학설을 주장하거나 옹호하지 않을 것을 서약하도록 강요했어.
이 서약서를 쓰면 용서해 줄 수도 있어.

그 후 갈릴레이는 교회를 끈질기게 설득해서 《프톨레마이오스-코페르니쿠스 두 우주 체계에 대한 대화》(1632)라는 책을 출간하도록 허락받았어.
두 우주 체계에 대한 대화
갈릴레오 갈릴레이

이 책은 교회의 검열을 가까스로 통과하긴 했지만
검열

사실은 지동설이 옳다는 것을 은근히 주장하는 내용을 담고 있었어.

나중에야 이 사실을 알게 된 교회 지도자들은 크게 분노했지.
이단자!

결국 1633년 4월 12일에 교황청은 갈릴레이를 소환해 심문했어.

이후에도 4월 30일, 5월 10일, 6월 21일, 이렇게 세 번에 걸쳐 갈릴레이를 추궁했지.
부정하는가?

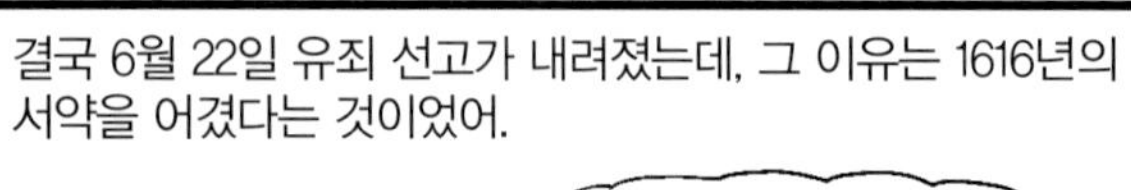
결국 6월 22일 유죄 선고가 내려졌는데, 그 이유는 1616년의 서약을 어겼다는 것이었어.

갈릴레오 갈릴레이, 그대는 지구가 태양 주위를 돈다는 코페르니쿠스의 학설을 주장하거나 따르지 않겠다고 서약했음에도 이런 사악한 내용의 책을 쓰는 불경을 범했소.

따라서 형벌로 종신 가택연금과 이후 3년 동안 매주 한 번 '7대 고해성시 (시편 6, 31, 37, 50, 101, 129, 142편)'를 암송할 것, 그리고 사후 장례식을 하거나 묘비를 세우는 것을 금지하는 바이오.

이때 갈릴레이는 어쩔 수 없이 굴욕적인 맹세를 해야만 했지.
세계의 중심인 태양은 움직이지 않으며, 지구가 태양 주위를 돈다는 의견을 완전히 버릴 것이며….

굴욕적인 맹세를 한 후, 갈릴레이는 법정을 나오며 '그래도 (지구는) 돈다(Eppur si muove)'라고 말했다고 해.

일부 사람들은 갈릴레이가 '그래도 지구는 돈다'라는 말을 한 적은 없다고 주장해.

증거 없어.

갈릴레이의 말은 프랑스의 역사학자 오귀스탱 시몬 이라이유(Augustin Simon Irailh)가 1761년 네 권으로 출간한 《문학논쟁》에 소개한 내용일 뿐이며 사실 여부는 확인할 수 없다고 말이야.

문학논쟁
멋있는 대사잖아.

갈릴레이의 굴욕적인 맹세는 이탈리아는 물론 유럽 각국의 교황 대사들에게 전해졌고,

갈릴레이가 지동설을 포기했소. 이 사실을 널리 알리시오.
당연히 그렇게 해야지요.

과학자나 일반 지식인들에게도 알려졌어.

들었어? 갈릴레이가 지동설을 철회하는 맹세를 했대.
흐음~, 결국 그렇게 됐구먼. 그러게 교회가 싫어하는 일을 왜 벌여가지고서는….

또한 《프톨레마이오스-코페르니쿠스 두 우주 체계에 대한 대화》를 갖고 있는 사람은 거주지 종교 재판관에게 제출해야 한다는 명령이 내려졌어.

이 책을 가지고 있는 사람들은 모두 종교 재판관에게 제출하시오. 이건 명령이오.
우주

금서 조치인 동시에 사실상의 압수 조치였지.

하지만 유럽 지식인들의 반응은 교회의 의도와 달랐어. 이 명령이 내려지기가 무섭게 사람들은 앞다투어 문제의 책을 손에 넣으려 했어.

밀지 마! 내 거야!

이들은 책이 세상에서 사라지기 전에 손에 넣으려고 경쟁했고, 그 결과 1633년 여름에는 책값이 정가의 10배 이상 올랐단다.

그들은 왜 금서로 지정된 책을 사들이려고
열을 올렸을까?

당시 유럽의 지식인들은 교회가 인정할 수 없었던 갈릴레이의 주장이
진리임을 알고 있었던 건 아닐까?
옳은
선택.
진리의
주장.
이것들이…

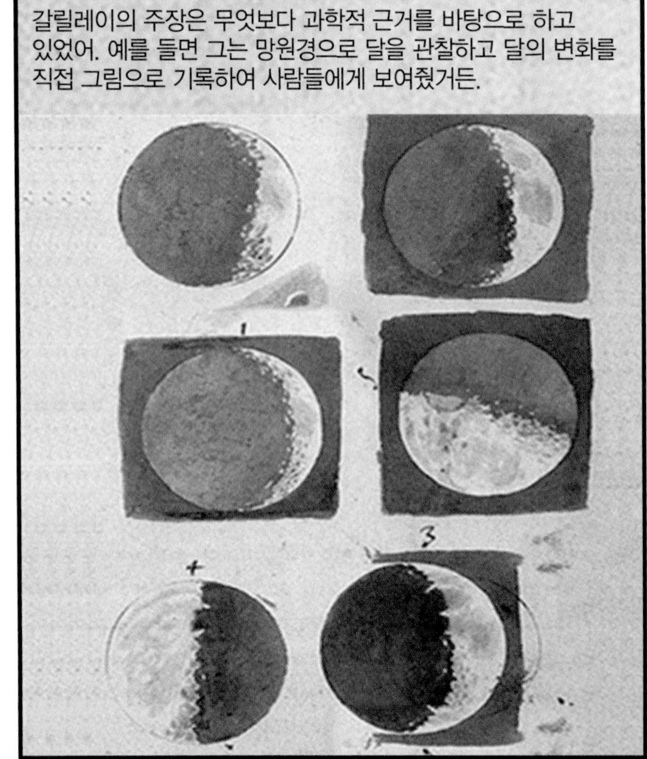
갈릴레이의 주장은 무엇보다 과학적 근거를 바탕으로 하고
있었어. 예를 들면 그는 망원경으로 달을 관찰하고 달의 변화를
직접 그림으로 기록하여 사람들에게 보여줬거든.

분명한 과학적 증거를 바탕으로 하는 갈릴레이의
주장은 유럽의 지식인들에게 논란의 불씨가
되었어.
갈릴레이
치이이…

과학적 입장에서 보면 당연히 갈릴레이의 주장을
지지해야 하지만

모든 권력을 장악하고 있던 교회의 눈치를
살피지 않을 수 없었거든.
찌릿!

비겁할 수밖에 없었던 지식인들이 할 수 있었던 일은 금서로 지정된
책을 사들여 그것이 세상에서 사라지는 것을 막는 정도가 아니었을까?
유럽
교황청

그러면 가톨릭 교회는 언제부터
갈릴레이의 주장을 받아들이게
되었을까?
지동설

아참! 갈릴레이의 주장이 객관적인
사실이라는 것을 증명하고 받아들이는
건 과학계의 일이니까 질문을 달리
해야겠지?

가톨릭 교회는 언제 갈릴레이의
죄를 면제해 주었을까?

1979년, 교황 요한 바오로 2세는 특별위원회를 소집했어.
교회가 갈릴레이에게 유죄를 선고한 일은
실수일 수도 있습니다.

그 후 오랜 기간의 논의를 거쳤고, 1992년이 되어서야
특별위원회가 교황청 과학원 회의에 최종 보고를 했어.
그리고 그해 10월 31일에는 갈릴레이의 복권이
공식화됐지.
이제야 나를
인정하는구나.
사면복권

갈릴레이가 진리를 발견했지만 그 발견이 종교계를 포함한
모든 이가 인정하는 완전한 진리로 받아들여지기까지 무려
360년이라는 오랜 시간이 필요했던 거야.
지동설
지동설
갈릴레오 갈릴레이
200
250
150

푸코는 바로 이 점에 의문을 가졌어.

대체 뭐지? 진리란
발견되는 것이 아니라
인정받는 것인가?
그럼 진리의 발견이
중요한 것이 아니라
다른 사람들의 동의를
이끌어 내는 것이
더 중요하다는
뜻일까?

의문을 풀기 위해 푸코는 인류의 역사에서 하나의 의견이
어떻게 지식으로 자리 잡게 되었는지를 조사하기 시작했어.

푸코는 하나의 지식이 시대가 변함에 따라 폐기 처분되거나
넌 이제부터 더 이상 지식이 아니야. 쓰레기통으로 들어가.
과거지식
도대체 왜 그래? 여태까지 나를 고귀하게 다뤘잖아! 이유나 설명해 달라고!

지식으로 다시 인정받게 된 사례들을 조사했어.
이리 오시지요. 오늘부터는 당신을 지식으로 모시겠습니다.
신지식
푸하하하~, 드디어 내게도 이런 날이 오는군.

정신병을 예로 들어 생각해 볼까?
~히!

사람들은 정신적으로 온전하지 못하다고 생각되는 사람을 보면 어떻게 할까?
엄마다…, 엄마!

대개 119에 전화를 할 거야.
미친 사람이….

그건 우리가 정신이 온전치 못한 것을 질병이라고 여기기 때문이야.
정신병이잖아, 병. 정신이 아픈 사람은 정신을 치료하는 병원으로 가야지.
맞아, 맞아. 안 그러면 우리 사회가 곤란해질 거야.

그런데 우리는 언제부터 정신이 우리와 조금 다른 상태에 있는 사람을 환자로 여겼던 것일까?
누가 날 환자로 만들었어?
도대체 언제, 왜?

푸코의 연구에 따르면 미친 사람들에 대한 옛날 사람들의 생각은 오늘날 우리와 많이 달랐대.
옛날에 난 환자가 아니었다는데?

르네상스 시대에는 광증(狂症) 중 하나로 여겨지던 우울증을 오히려 천재의 특징으로 여기기도 했거든.
와!
거봐. 난 환자가 아니라 뛰어난 예술가라니까.

어떻게 우울증이 천재의 특징이 될 수 있느냐고?

다음 그림은 뒤러가 1514년에 완성한 〈멜랑콜리아 I〉이라는 그림이야. 〈멜랑콜리아 I〉은 비밀스럽고 불분명한 내용 때문에 이미 오래전부터 학자들의 관심을 끌었지.
MELENCOLIA I

르네상스 시기의 독일 화가 알브레히트 뒤러 (1471~1528)의 예를 들어 보자.

이 인물은 여자일까? 아니 날개가 있으니 천사일까?
여자든 천사든 간에 이 사람은 도대체 뭘 하고 있는 거야? 생각에 잠긴 거야?
흩어져 있는 이 도구들은 뭐지? 목수가 사용하는 도구들 같은데….

게다가 이 사람은 왜 멍한 표정을 하고 있는 거야?

옆에 있는 아기와 강아지를 봐. 분위기가 흐리멍덩한 게 도대체 뭘 그린 건지 이해가 안 돼.
그림 뒤편의 박쥐 날개 위에 쓰인 '멜랑콜리아 I (MELENCOLIA I)'은 이 그림과 또 무슨 관계인 건지….

우리가 뭔가를 잘못 생각하고 있는 게 아닐까? 사실 이 모든 것이 화가의 심리적 혹은 감정적 상태를 나타내는 장치가 아닐까?

이렇게 해서 이 그림을 당시의 시대 분위기와 연결시키려는 연구가 시작됐어.
시대

그 연구를 담당했던 인물은 바로 파노프스키(Erwin Panofsky, 1892~1968)라는 미술사학자였지.
내 생각에는 이 그림에 어떤 이미지, 이야기, 의미가 담겨 있는 것 같아.

그런데 이 의미들을 이해하기 위해서는 해당 문헌 자료에 대한 지식이 필요하겠지….

뿐만 아니라 특별한 테마나 개념도 잘 알아야 할 것 같은데…. 으윽, 할 일이 점점 늘어나는군….

일단 옥스퍼드 사전에서 'melancholy'의 의미를 찾아보는 게 좋겠어.
사전
옥스퍼드

으음…, melancholy는 '정신적으로 저조하고 명랑하지 않으며 근심에 잠기는 것'이란 뜻이군.
melancholy
정신적으로
명랑

하지만 뒤러가 동판화를 제작했을 당시에도 melancholy가 지금과 같은 의미였을까? 좀 더 조사를 해 봐야겠군.

찾았다! 이거야, 이거!
사성론(four humors) 또는 사체액설(체액에 따른 인간의 4가지 기질설)이라 불리는 이 이론!

이 이론은 '인간의 우울'에 대한 해석과 관련 있는 이론이자 당시 다방면에 많은 영향을 끼쳤던 이론이지.

melancholy
열
건
습
냉
그림의 제목이자 그림 속에 있는 단어인 melancholy를 더 잘 이해하려면 이 이론을 꼭 조사해 봐야겠군.

히포크라테스가 이론화한 사성론 또는 사체액설은 아리스토텔레스도 받아들인 유명한 이론이야.

형님 최고.

사람의 인성을 네 가지로 분류하여 그 네 가지 인성을 자연 현상과 연결시켜 설명하는 이론이지.

어떻게 인간의 성질을 자연 현상과 연결시킬 수 있느냐고?

이 표를 잘 봐. 제일 왼쪽 열은 인간의 체액을 지칭해. 그 다음 4개의 열들은 자연 현상을, 그 다음은 인생의 한 부분을, 그리고 마지막 열은 인간의 기질을 나타내는 거야.

혈액	봄	아침	따뜻함	공기	소년기	쾌활
황담즙	여름	낮	더움	불	청년기	성냄
흑담즙	가을	저녁	쌀쌀함	대지	장년기	우울
점액	겨울	밤	추움	물	노년기	냉정

예를 들어 혈액이 풍부한 사람은 봄이나 아침에 느낄 수 있는 따스한 대기의 기운과 연결되고

이러한 성질은 인생에서 소년기에 해당되며

인성으로 보자면 쾌활한 성격이라는 설명과 연결돼.

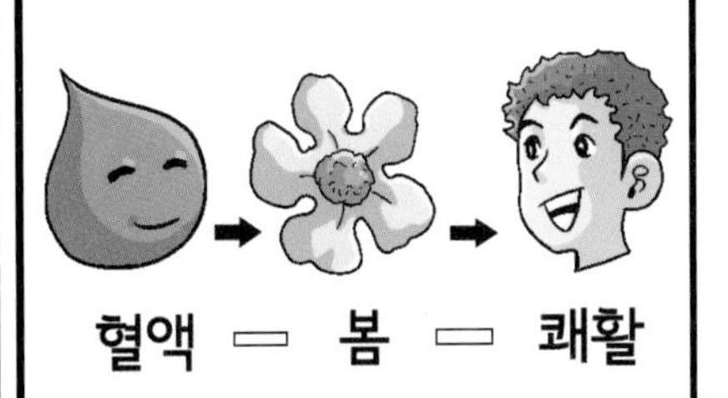

혈액 — 봄 — 쾌활

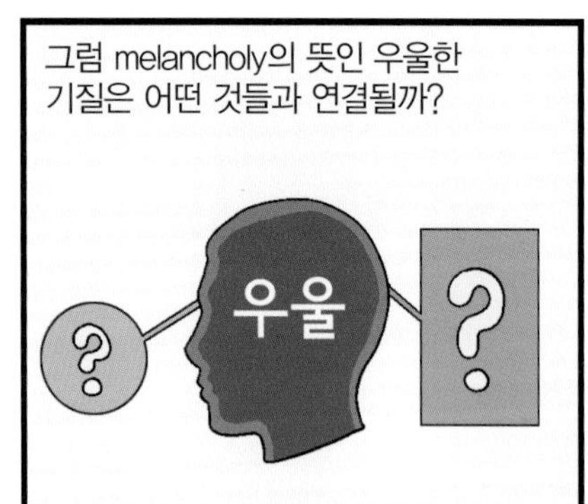
그럼 melancholy의 뜻인 우울한 기질은 어떤 것들과 연결될까?
우울

사체액설에 따르면 우울한 기질(melancholy humor)이 지배적인 사람은 욕심 많고 게으르며 성실하지 않고 매우 비활동적이지만 공부는 잘할 수 있다고 했어.
흐흐…
다 내 거.
드르렁..

하지만 파노프스키가 보기에 이 설명은 뭔가 부족해 보였어.
아무렴, 뒤러가 이런 시시한 기질을 가진 인물을 중심으로 그림을 그렸을 리가 없어. 어디 보자. 분명 설명이 더 있을 텐데….

그러던 중 파노프스키는 고대에 사용되었던 멜랑콜리의 개념이 르네상스 학자들에 의해 바뀌게 되었다는 사실을 알게 되었어.
그럼 그렇지. 여기 있었군. 조사해 보면 다 있다니까.

이것 봐. 르네상스의 학자들은 철학, 정치, 시학, 조형 예술 분야에서 두각을 나타내었던 탁월한 인간을 멜랑콜리한 사람들이었다고 주장했어.

하지만 그래도 의문이 남는걸? 뒤러는 그림을 왜 이렇게 그린 것일까?
뒤러의 그림에서 주인공 멜랑콜리아가 '우울한 기질'의 의인화가 맞는다면, 그는 왜 게으르게 자고 있는 모습으로 인물을 표현하지 않았지? 그게 우울한 인물에 대한 전통적인 표현방식인데 말이야.

이렇게 해서 멜랑콜리의 의미가 뛰어난 사람만이 지닐 수 있는 고차원적인 성향으로 바뀐 것이로군.

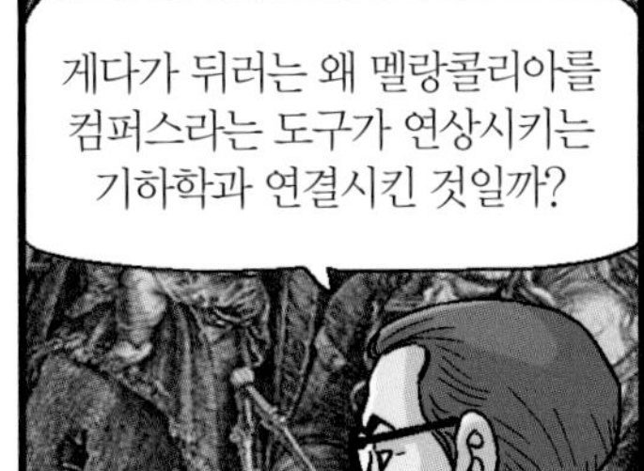
게다가 뒤러는 왜 멜랑콜리아를
컴퍼스라는 도구가 연상시키는
기하학과 연결시킨 것일까?

에쿠! 또 조사가 필요해.
당시의 자료를 모두
검토해 봐야겠어.

그러나 그것을 가르쳐주는 문헌 자료는
존재하지 않았어.
아아~, 이젠
절망이로군.
그 부분을
설명해 줄 자료는
어디에도
없는 건가?

우울한 기질과 기하학의
관계를 꼭 밝혀내야 하는데,
방법이 없을까?

파노프스키는 좀 더 넓은 설명의 틀을 끌어들였어.
철학
사상
최후의 수단이야.
뒤러의 그림이 그려진
16세기 당시의 문화에
비추어 이 그림을
해석해 보는 거야.

당시의 사상, 종교, 과학, 사회 등을
살펴보면 우울한 기질과 기하학의
관계가 반드시 드러날 거야.
틀림없어!

16세기는 르네상스 시대이고,
르네상스는 인문주의 시대를 말하지.
똑똑하군.

*피치노의 말처럼 인문주의 시대에
우울한 기질은 높이 평가되었어.
왜일까? 그 부분을 찾아봐야겠군.

드디어 찾았다!
인문주의 시대에
멜랑콜리아가 높이
평가되었던 것은
인문주의자들이
새턴(Satern, 토성)을
찬양하는 태도
때문이었어!
인문

* 피치노(1433년~1499년) : 이탈리아의 철학자이자 신학자, 언어학자이다. 메디치가의 후원을 받아 플라톤의 저서를 번역·해석하며 플라톤 사상을 전파하는 데 여생을 보냈다.

여길 봐. 점성술에 따르면 멜랑콜리한 성향의 사람은 토성 성좌 밑에서 태어난다고 하잖아.

오늘날까지도 서양 사람들이 '토성적 기질'이라는 말을 사용하는 것도 이 때문이야.
이랴!

토성의 신인 새턴은 땅의 신으로 이미 오래 전부터 석공과 목공의 수호자로 여겨져 왔지.

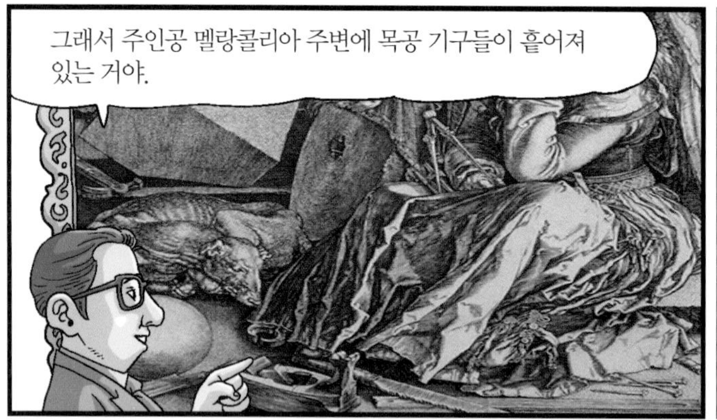
그래서 주인공 멜랑콜리아 주변에 목공 기구들이 흩어져 있는 거야.

뿐만 아니라 새턴은 토지의 분배와 측정을 관장하기도 해. 그러니까 당연히 토성은 기하학과 관계가 깊을 수밖에 없지.

여기서 내가 결정적 증거를 찾아냈지. 그게 뭘까? 후훗…!

이 작품이 완성된 다음해인 1515년 뒤러의 고향 뉘른베르크에서 달력이 발간되었는데, 이 달력에는 이런 글이 적혀 있었어.
'토성은 인간의 기예 가운데 기하학을 나타낸다.'

어때? 뒤러의 〈MELENCOLIA I〉은 전통적인 이론만으로는 설명이 안 된다는 걸 확실히 알겠지?

생각해 봐. 우울한 기질을 가진 사람을 단순히 잠만 자는 게으른 인간으로 묘사해온 건 전통적인 이론에 따른 묘사 방식일 뿐이야.
일어나요!
자는 거 아냐. 작품 구상 중이라고….
드르렁

실제 뒤러의 그림에서 우울한 기질로 표현된 멜랑콜리아는 지성을 갖추고 사색에 잠긴 사람으로 묘사되고 있단 말이지.

그건 알겠는데요. 그럼 이 작품의 제목인 〈MELENCOLIA I〉에서 'I'이란 숫자는 무엇을 의미하는 건가요?
MELENCOLIA I

아하, 숫자 I 말이지? 내 생각에 이 숫자는 최고의 가치를 의미하는 것 같아.

당시 코르넬리우스 아그리파 폰 네테스하임이라는 사람이 《어둠의 철학》이란 책을 발간했는데, 내 생각엔 뒤러도 이 책의 내용을 알고 있었을 것 같아. 당시에는 꽤나 유명한 책이었거든.

형님, 어디서 이런 기발한 상상을….

허허, 뭘….

이 책은 창조성을 지닌 천재를 설명하는 책이야. 예술가라면 당연히 관심을 가졌겠지.
굉장하다.
어둠의 철학

이 책에 따르면 인간은 멜랑콜리한 광기로 최상의 진리를 인식할 수 있는 단계에 접어드는데, 진리를 인식하기 위해서는 세 가지 단계를 거쳐야 한다는군.

어둠의 철학

세 가지 단계요? 그건 뭔데요?

첫 번째 단계는 예술가.

두 번째는 지식인.

세 번째 가장 높은 단계는 천상으로 오를 수 있는 신학자가 이에 해당된다고 해.

이 설명에 따르면 뒤러의 그림 속 인물 멜랑콜리아는
첫 번째 단계, 즉 예술가의 단계에 불과하기 때문에
우울한 상태에 빠져 있는 거지.

생각해 봐. 그림 속 멜랑콜리아는 힘과 이해력,
능력을 다 갖추고 있긴 하지만 그가 예술가이기
때문에 최상의 진리에 도달할 수 없어.
진리

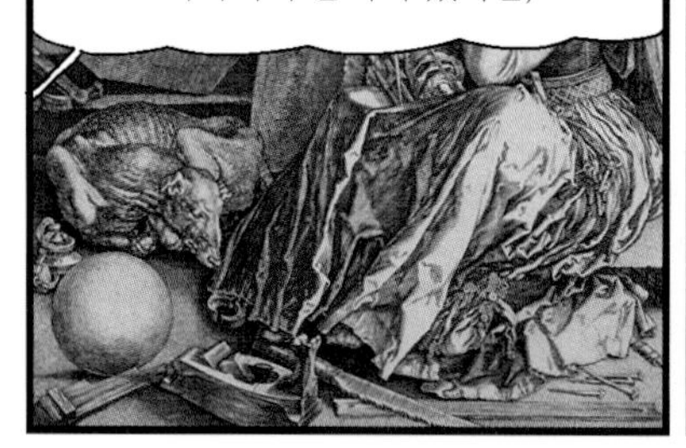
그림을 잘 보면 목공에 쓰이는 작업
기구와 기하학에 쓰이는 학술 도구들이
여기저기 흩어져 있지만,

이것들도 진리를 구현하려는
예술가의 꿈을 도와주지
못하는 거야.

그러니까 멜랑콜리아는 얼마나
슬프고 절망스러웠겠어?

그래서 내가 보기에
이 작품은 예술가로서의 뒤러가
가질 수밖에 없었던 매우 복잡한
심경이 반영된 작품이야.
이 작품은 '뒤러의
정신적인 자화상'이
틀림없어.

선생님 설명은
잘 알겠어요.
하지만 아직 숫자 1이
왜 최고의 가치인지
설명 안 하셨어요.

앗, 미안!
내 정신하고는….
뒤러는 《어둠의 철학》을 통해
진리에 도달하기 위해서는
다른 기질들보다 우울한 기질이
중요하다는 것을 깨달았어.

우울이야말로 이상에 도달할 수 있게 해 주는 기질이며, 따라서 그 어떤 기질들보다도 우위에 있다는 것을 보여 주기 위해 'I'이라는 숫자를 써 넣었을 거야.
MELENCOLIA·I

뒤러는 또한 이 '멜랑콜리한 기질'을 자신을 포함한 예술가들을 나타내는 것으로 보았던 것 같아.

어때? 좀처럼 풀리지 않을 것 같던 작품의 수수께끼가 당시의 시대상으로 비추어 생각하니 해결되었지?
네, 그렇군요. 하지만 여전히 어려워요.

푸코는 파노프스키의 설명을 빌어
잘했지?
수고 하셨어요.

'우울한 기질'이 갖는 의미가 시대마다 조금씩 달라진다는 사실과
아, 우울해! 난 예술가 기질이 있나 봐.

당시에는 우울증이 광기(狂氣)가 아니라 창조에 가까운 것으로 여겼다는 것을 말하고 있어.
진정한 예술인.
예술가는 고독하다.

한 걸음 더 나아가 우리가 지식이라고 부르는 것은 당시의 시대적인 분위기가 정한다고 주장했어.
시대

푸코는 《지식의 고고학》을 통해 특정 분야의 지식이 역사를 통해 어떻게 변화하며 흘러왔는지 비교하는 방법을 설명하고자 한 거야.
지식의 고고학
지식
역사

3장 푸코가 택한 지식 연구 방법은 뭘까?

역사
철학

‘우리가 지식이라고 부르’는 것은 당시의 시대적 분위기가 정한다는 푸코의 말은 무슨 뜻일까?

지식

푸코는 우리가 ‘어떤 것은 무엇이다’라고 판단하는 기준은 이미 틀지어져 있다고 말해.

사실 우리는 태어나면서 특정한 문화에 길들여지고

질서

이 문화는 하나의 틀로 작용해.

한 줄 서기

그래서 우리 모두가 어떤 대상에 대해 동일한 인식을 하게 된다는 거야.
으음…, 저건 사과고 그 옆은 배로군.
남들 다 아는 걸 뭐하러 읊어 댄담? 이상한 사람이네….
사과, 배 30% 세일

파란 불에는 가는 거고, 빨간 불에는 서는 거야.
아, 글쎄 그건 애들도 다 아는 거라고….

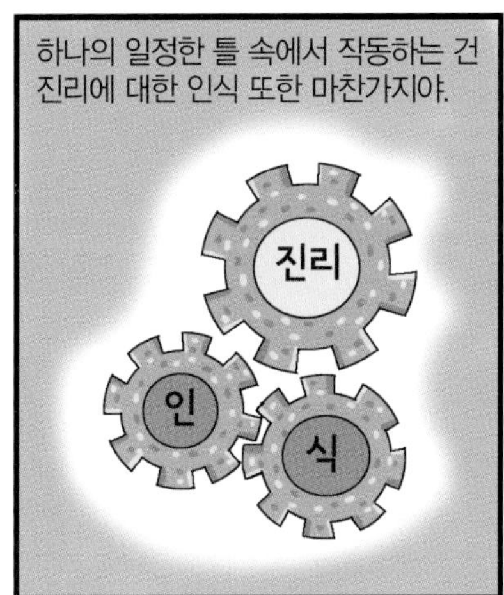
하나의 일정한 틀 속에서 작동하는 건 진리에 대한 인식 또한 마찬가지야.
진리
인
식

진리는 지식의 목적이기도 하며,
진리

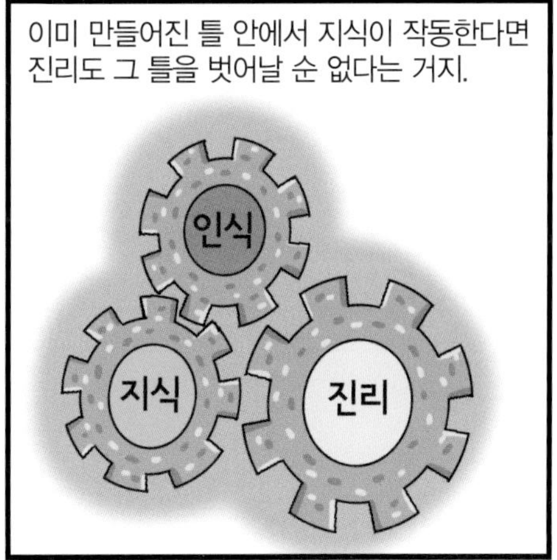
이미 만들어진 틀 안에서 지식이 작동한다면 진리도 그 틀을 벗어날 순 없다는 거지.
인식
지식
진리

그럼 지식이나 진리의 문제를 다루는 학문은 무엇일까?

그건 바로 철학(philosophy)이야.
원래 철학은 지혜(sophia)를 사랑하는(philos) 학문을 가리키는 거지!
철학

아주 오랫동안 철학은 인식의 문제에 대해 생각했어.

우리가 안다는 것은 어떤 것을 말하는 거지? 우리는 어떤 상태에서 진정한 앎을 얻을 수 있을까?
데카르트
칸트
헤겔
우리는 아마도 세상이 드러내 보이는 모습을 볼 뿐일걸? 그렇다면 내 머릿속에서 어떤 과정을 거쳐 지식이 만들어지는지 살피는 일이 우선이겠지?
무슨 소리…, 세상은 원래 이념으로 시작해서 이념이 자기운동을 하는 것으로 전개되었다가 결국은 이념으로 되돌아가는 것일 뿐인데….

철학자들은 인간의 인식에 관한 문제를 탐구하게 되면 언젠가는 진리에 도달할 수 있을 것이라 믿었어.

하지만 푸코가 보기에 철학은 인식에 관한 문제를 탐구하는 게 아니었어.

아니야?

진정한 문제는 철학을 역사학적 입장에서 살피는 방식에 있다고 생각했지.

역사

19세기 이후로 철학은 시대를 주도했던 역사학적 입장을 받아들였어.

소크라테스
데카르트
역사호

그리고 철학을 역사화 하는 데 열중했어.

인식의 문제를 중심으로 보자면, 데카르트를 계승해서 칸트의 인식론이 완성되었어.

칸트의 저러한 점을 비판한 피히테의 이론으로부터 헤겔의 철학이 나온 거고….

이렇게 철학은 역사학적 관점에 갇힌 채

현재 자신의 입장에 부합하는 사건들만을 추려내 나열함으로써

하나의 이야기를 완결하려 했어.

그러다 보니 철학의 역사에 속하지 못하는 철학자들이 생겨났고,
이번 이야기의 주제는 이성입니다.
이성과 다른 입장을 보이는 철학자들은 이야기에서 빼 주십시오~.

그들을 비주류 철학자란 이름으로 따로 분류했지.
몸과 감성의 문제는 철학이 다뤄야 할 부분 아닌가? 내 철학도 훌륭한 철학이라오!
시간에 관해 전통 철학과 다른 입장을 보인다고 해서 이런 대접을 받다니!
니체
베르그송

또한 역사의 문제는 늘 해석의 문제와 엮이곤 했어.
역사
해석

철학의 역사에 어떤 철학자를 넣을지 말지는 늘 역사를 구성하는 사람의 입장과 선택을 바탕으로 하기 때문이지.
누굴 뽑을까?

결국 해석학의 입장에서 역사적 사실을 판단하는 학문은
A
B

하나의 사태를 일정한 입장에 의거해 해석하기 때문에

객관적이라고 보기 어렵다는 거야.

그렇다면 지식에 객관적으로 접근하기 위해서는 어떻게 해야 할까?
중립

푸코는 우선 우리가 반(反)역사학적이고

반해석학적인 입장에 설 수 있어야 한다고 생각했어.

사실 이 책을 집필할 당시 분위기는 역사가 꼭 연속적이지만은 않다는 견해가 확산되고 있었어.
그렇지….

이 부분에 대해 좀 더 구체적으로 설명해 볼게.
反

미국의 물리학자이자 과학사학자였던 토마스 쿤(Thomas Samuel Kuhn)이 좋은 사례가 될 거야.
하이

1922년 미국 오하이오 주의 신시내티에서 태어난 쿤은 하버드대학에서 물리학을 전공했어.
E=MC2

1949년에 하버드대학에서 물리학박사 학위를 취득한 후 모교에서 강의를 시작했지.

그 강의는 문과 학생을 위한 자연과학개론이었는데
전 완전 문과 성향이라 과학은 영….
저도요…. 어떻게 하면 과학을 잘 이해할 수 있을까요?

강의를 준비하던 중 그는 중요한 경험을 하게 되었어.
과학에 처음 입문하는 학생들을 곤란하게 하지 않으려면 어떻게 해야 할까?

아무래도 어려운 물리학의 뿌리를 보여 줄 수 있는 역사적 사례를 찾아야겠지?

그래, 고대 철학자인 아리스토텔레스의 《자연학》을 읽어 보자.
자연학

어? 뭔가 이상한데? 물체의 운동을 왜 이렇게 설명하지?

아리스토텔레스 같은 탁월한 철학자가 어떻게 이런 생각을 할 수 있을까?

도대체 무엇 때문이지?
이 문제에 대해 뉴턴은 어떻게 설명하고 있는지 찾아봐야겠군.

알았다! 이건 아리스토텔레스 개인의 잘못이 아니었어!

아리스토텔레스는 운동이라는 개념을 단순히 물체의 공간적 이동으로만 이해한 것이 아니라 물체의 변화까지도 포함해 이해했어. 바로 이게 문제였어!

그래, 맞아. 그들은 동일한 자연현상을 설명하기 위해 같은 용어를 사용했지만 그 용어의 의미는 각기 달랐던 거야.

이후 쿤의 연구는 어떻게 해서 동일한 개념이 시대에 따라 다른 의미로 사용될 수 있는지를 밝히는 데 집중되었어.

그리고 그의 연구는 인간의 지식이 축적되는 방식에 대한 독특한 설명으로 귀결되었지.

코페르니쿠스(1473~1543)를 예로 들어 설명해 볼까?

코페르니쿠스는 지구를 우주의 중심으로 놓고 천체를 파악하려 했던 아리스토텔레스와 프톨레마이오스의 천동설에 반대했어.

이게 틀려?
지구
달
수성
금성
태양
천동
그건 흘러간 역사일 뿐.

그는 지구가 자전과 공전을 한다는, 당시로서는 혁명적인 주장을 폈어.

우주의 운동.
EMPIREVM
HABITACVLVM
DEI
ET
OMNIVM
ELECTORVM
SATVRNI
IOVIS
MARTIS
SOLIS
VENERIS
MERCVRII
LVNÆ

그는 왜 이런 주장을 하게 된 것일까?

그건 말이야, 코페르니쿠스가 지난 1300여 년을 지탱해 왔던 프톨레마이오스의 천문학에 관한 설명이 충분하지 않다고 생각했기 때문이야.

설명에 한계가 있어.

천 년 넘게 이어져 온 천동설로 설명할 수 없는 문제를 해결하기 위해 코페르니쿠스는 완전히 다른 방식의 사고의 틀이 필요했던 거야.
천동설
지동설

쿤은 이를 가리켜 기존의 천동설 체계를 부정하는 혁명적 사건이라 주장했어.
코페르니쿠스
혁명

이를 통해 우리는 과학적 지식의 발전이 단순히 새로운 지식들이 과거의 지식들 위에 쌓이고 쌓이는 방식으로 진행되지 않는다는 것을 알 수 있어.
과거지식
퇴장

과학의 발전은 내용의 교정 또는 점진적인 발전 과정을 거치는 것이 아니라
둥실
오류
둥실

마치 혁명과도 같은 단절을 통해 이루어진다는 사실 말이야.
펑!
신개념

이러한 단절 때문에 아리스토텔레스의 운동 개념은 뉴턴의 운동 개념과는 완전히 다르며

뉴턴의 운동 개념은 아인슈타인의 운동 개념과 완전히 다를 수밖에 없지.
중력
팽창

쿤은 이런 단절을 그의 책 《과학혁명의 구조(1962)》에서 '패러다임의 전환(paradigm shift)'이라고 명명해.

과학혁명의
구조
토마스 쿤

쿤의 설명에 따르면, 과학의 발전은 과학이 설명하기 힘든 현상이 출현해 기존의 과학이 위기에 처하게 될 때 일어나는 현상으로

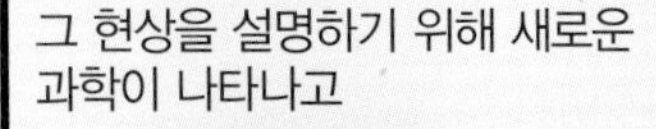
그 현상을 설명하기 위해 새로운 과학이 나타나고

A
O
C
E

새로운 패러다임이 출현하게 되는 거래.

사실 이런 설명은 당시 사람들을 당황케 했어.

E

《과학혁명의 구조》가 세상에 나오기 전에는 아무도 과학이 객관적이라는 점을 의심하지 않았지.

과학

《과학혁명의 구조》는 과학을 바라보는 전통적 시선에 적지 않은 타격을 주었는데,

꺄악!
과학 혁명 구조판

과학적 연구조차도 연구자의 선입견과 전제, 그 시대를 지배하는 패러다임의 영향을 받는다는 쿤의 주장은
과학 = 가치 중립
톡
쿤

과학적 연구는 가치중립적이라는 과학에 대한 전통적 믿음을 여지없이 무너뜨리는 것이었어.
쿵!!

쿤은 과학의 역사를 연속적으로 이어진 하나의 단선으로 설명하려던 기존의 입장에서 벗어나

단절을 통해 전개되는, 완전히 새로운 지평으로 설명했지.

다시 말해, 쿤이 말하는 패러다임이란 한 시대의 견해나 사고를 지배하는 이론적 틀 또는 개념의 집합체야.

하지만 쿤은 사회, 역사, 철학적 패러다임 모두를 다루지는 않았어.
멀뚱
역사
철학

그가 관심을 가졌던 것은 과학사의 객관적 사실들을 통해 드러나는 패러다임이었지.
과학사
증명할 수 없는 시대
새로운 사실
패러다임

그럼 이제 쿤의 '패러다임
이론'에 대해 살펴볼까?
패러다임

과학자들이 자신의 이론과 연구를
가능케 하는 도구이자

문제를 문제로 인식하는 기준으로
패러다임을 받아들이게 되면,

이 과학 분야는 '정상 과학'의
단계에 들어서게 돼.
과학

'정상 과학'이 발전하다가 자신의
패러다임으로 풀리지 않는
문제를 만나게 되면
문제

과학은 위기에 봉착하게 되지.
문제

이 위기가 일정 기간 이상 지속되면

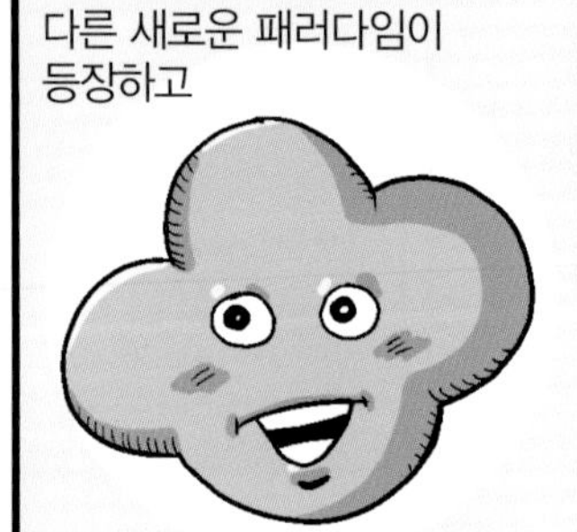
기존의 패러다임과는 완전히
다른 새로운 패러다임이
등장하고

두 개 또는 그 이상의 패러다임들이 서로
경쟁하게 돼.

쿤은 이처럼 여러 개의
패러다임들이 서로 경쟁하는
시기가 바로 '과학혁명의 시기'라고
설명해.
혁명호

그중 새로운 패러다임이
과거의 패러다임을 물리치고
과학자들에게 받아들여지면
쨍그랑!!

새로운 '정상 과학'의 단계가 시작되는
거야.

이런 시각에서 보면 과학이 발전하는 데 있어 가장 중요한 것은 바로 패러다임이야.
패러다임
과학

패러다임은 과학자들에게 문제를 어떻게 다루고 해결해야 할지를 알려 주는 동시에
이쪽으로….
생각
패러다임

어떤 문제가 중요한 것인지를 가려내 주기 때문이야.
어때? 내가 얼마나 대단한지 알겠지?

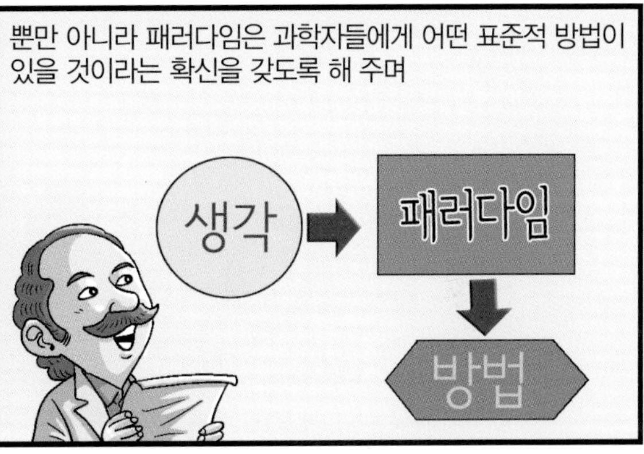
뿐만 아니라 패러다임은 과학자들에게 어떤 표준적 방법이 있을 것이라는 확신을 갖도록 해 주며
생각
패러다임
방법

그 표준적 방법으로 중요한 문제를 풀 수 있으리라는 자신감을 주지.
문제
과학

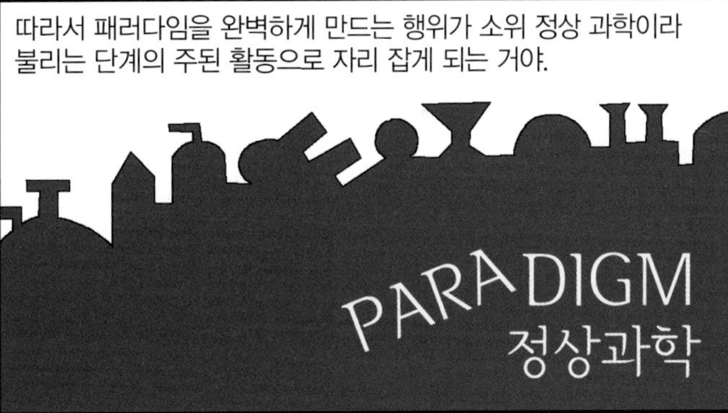
따라서 패러다임을 완벽하게 만드는 행위가 소위 정상 과학이라 불리는 단계의 주된 활동으로 자리 잡게 되는 거야.
PARADIGM
정상과학

이처럼 과학은 패러다임의 지배를 받기 때문에
생각
과oo학
패러다임

과거의 과학과 현대의 과학이 중요하게 생각하고 해결하려는 문제들은 완전히 다를 수밖에 없어.
과거
현대

다른 패러다임을 가진 두 개의 과학 간의 차이를
쿤은 '공약불가능성(incommensurability)'이라 불러.

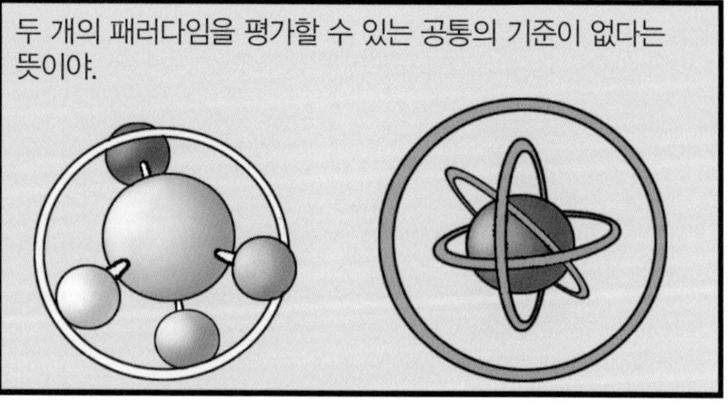
두 개의 패러다임을 평가할 수 있는 공통의 기준이 없다는
뜻이야.

실제로 서로 다른 패러다임 안에 있는 연구자들은
오늘은 다른 입장을 가진 과학자 두 분을 모시고 말씀 들어보겠습니다. 프톨레마이오스 씨와 코페르니쿠스 씨 나오셨습니다.

완전히 다른 시각으로 우주를 보고
태양이 지구의 주위를 돌지.
글쎄 그게 아니라니까요!

해결해야 할 문제를 가려내는 데 있어
그럼 이번에는 어떤 문제를 우선적으로 해결해야 할지에 대해 말씀해 주시죠~.

서로 다른 의견을 가질 뿐만 아니라,
행성들이 어떻게 원운동을 하는지를 설명하는 게 우선이오!
무슨 말씀을…. 지구를 중심에 두고 설명한다면 그 문제는 풀리지 않아요.
태양을 중심으로 설명하는 게 급선무라니까요!

동일한 개념을 다른 의미로 사용하기 때문에
지난 번 모신 분들의 논쟁이 너무 치열해서 이번에는 다른 분들을 모셨습니다.
아리스토텔레스 씨와 뉴턴 씨, 안녕하세요? 오늘은 물체의 운동에 관해 들어보겠습니다.

그들 사이의 의사소통 자체가 불가능해.
음…, 운동이란 물체의 성질이 변화하는 것까지도 포함하는 것으로서….
뭐라고요? 운동이란 어떤 물체가 하나의 지점에서 다른 지점으로 움직인 거리를 나타내는 거라고요! 그건 상식이지요!

이처럼 패러다임의 전환은 이전의 패러다임에서 참으로 여겨졌던 지식들의 가치를 단번에 뭉개 버려.
NEW 지식
구지식
푸쉬쉬

그래서 패러다임의 전환이 있게 되면 과거 패러다임에서의 지식들 중 일부는 쓰레기가 되어 폐기처분되기도 하지.
쿠르르르...
신지식

지동설을 둘러싼 지식들이 그 예가 될 수 있어.
지동설
앵~!

지금의 우리는 그 누구도 태양이 지구 주위를 돈다고 생각하지 않잖아?
바보 아냐?

하지만 두 개 이상의 패러다임이 경쟁하는 과학혁명의 시기에는 어땠을까?
콰아아앙.

《코페르니쿠스 혁명(1957)》에서 쿤은 코페르니쿠스를 혁명적인 동시에 전통적인 이중적 인물로 묘사하고 있어.
뭐? 내가 이중인격자라고?

코페르니쿠스는 지구를 움직이지 않는 우주의 중심에 놓고 천체를 파악한 아리스토텔레스-프톨레마이오스의 체계를 부정하고 지구가 자전과 공전을 한다고 주장한 혁명가였지만,

동시에 *수정 천구(天球)의 존재를 인정하고 원운동을 고수한 보수적인 사람이었어.

* 수정 천구: 모든 행성이 각각 크기가 다른 천구(구 모양의 하늘)에 붙어 있다고 보는 이론

왜 코페르니쿠스에게서 혁명적이고
보수적인 성격이 함께 발견되는 것일까?

사실 코페르니쿠스는 1300여 년 동안 문제가 누적된 프톨레마이오스 천문학 체계를 공부하고 그 천문학에서 가르친 대로 문제를 풀던 프톨레마이오스 천문학의 대가였어.

그렇지만 그는 동시에 오랜 시간 누적된 기존 체계의 문제점을 최초로 인식했던 사람이기도 했지.
논리가 부족해.

말하자면 코페르니쿠스는 원운동의 조합을 통해 천체 현상을 설명하던 과거의 기술적 도구를 완벽하게 소화했지만, 지구 중심의 구체계로는 행성 운동의 기술에 한계를 느끼고 지구에 몇 가지 운동을 도입했지.

그렇게 코페르니쿠스는 과거 체계의 문제를 해결하긴 했지만 동시에 과거 체계의 보수적인 성격이 그의 해법에 그대로 남아 있었어.
지구는 태양을 중심으로 자전과 공전을 하지만, 여전히 원운동을 하는 거야. 암, 그렇고말고….

또 새로운 패러다임이 모든 문제를 해결할 순 없어. 실제로 지동설이 처음 등장했을 때에는 천동설만큼이나 많은 문제를 가지고 있었지.
수성
지구
태양
달
금성

결국 코페르니쿠스가 도입한 새로운 패러다임은 그의 해법을 받아들인 케플러와 같은 이후의 과학자들에 의해 보다 완전해졌어.
아니, 코페르니쿠스 선배님은 도대체 왜 원운동을 고수해야 했던 거지?
그러게 말이에요. 우리 이제 수정 천구(天球) 이론의 속박을 과감히 떨쳐 버리고 새로운 우주관을 완성시켜 보아요~.

이 같은 쿤의 설명이 우리에게 보여 주려는 것은 무엇일까?

첫째, 이전의 과학에서 현대 과학으로의 발전은 연속적이지 않고 불연속적이라는 사실이야.
과
학

달리 말하자면, 과학은 단절을 겪으면서 혁명적으로 변화해.
패
러
다
임
쿠르르릉

둘째, 이전의 과학과 현대의 과학을 구분하는 것은 단순히 시간이 아니라는 점이야.

혁명적으로 변화한 것은 과학자들이 공유하고 있는 어떤 과학적 틀, 다시 말해 패러다임이야.
패러다임

그런데 기존의 패러다임과 새로운 패러다임이 힘겨루기를 하는 과학혁명의 시기에는 어떤 요소가 결정적 역할을 하게 되는 것일까?

사실 패러다임의 전환 시기에는 과학 내적인 논리적 요소보다 철학적 · 제도적 · 사상적 요소들이 중요한 역할을 한다고 쿤은 이야기하고 있어.
패러다임
치이이
철학
제도
사상
시대

그러다 보니 쿤의 패러다임 이론은 다른 분야 학자들의 관심을 끌게 되었지.

푸코의 경우도 예외가 아니었어. 역사주의 입장에 반대하는 푸코에게 있어 단절을 통한 인식의 전환을 이야기하는 쿤의 주장은 매력적이었을 거야.
쿤 패러다임

그렇지만 푸코가 쿤의 입장을 그대로 받아들인 것은 아니야.
쿤의 이론도 흥미롭지만, 이 이론은 내가 이미 들어 본 적이 있는 이야기인걸….
쿤 패러다임

푸코는 쿤보다도 앞서 과학의 역사에 불연속이 있다는 점을 이야기했던 프랑스 이론가들을 이미 알고 있었어.

그들은 바로 프랑스의 대표적인 과학철학자이자 인식론의 대가인 바슐라르(Gaston Bachelard, 1884~1962)와

깡길렘(Georges Canguilhem, 1904~1995)이야.

비이성적인 어떤 부분도 과학이나 철학의 역사에 들어설 수 없도록 했던 당시 역사관에 반대했던 바슐라르는
X

이미지와 상상력을 기반으로 한 주관적 상상력의 세계가 이성을 바탕으로 한 객관적 과학의 세계보다 우위에 있다고 주장했어.
승!

실제로 소르본대학에서 〈과학사와 과학철학〉에 대한 강의를 하면서,
여러분, 안녕하세요? 〈과학사와 과학철학〉 강의를 맡은 바슐라르입니다. 오늘은 강의 소개를 하는 날이지요?

그는 기술과 과학의 역사에 있어서 직관의 역할을 역설했어.
여러분은 아마 과학의 역사에서 가장 중요한 것이 이성 또는 지성이라고 생각하겠지요. 하지만 가장 중요한 것은 직관이랍니다. 직관이 과학의 발전을 가져왔어요.

비슷한 시기에 그는 기존의 강좌들과는 전혀 다른 제목의 강의를 하기도 했는데, 예를 들자면, 〈상상력의 형이상학〉 같은 수업이었어.
오늘의 강의
상상력의 형이상학

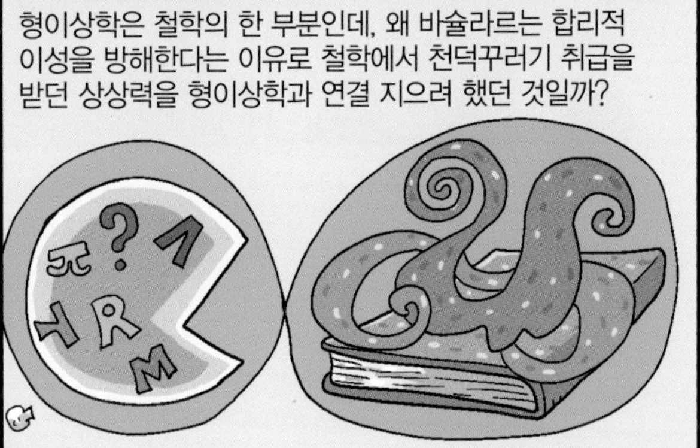
형이상학은 철학의 한 부분인데, 왜 바슐라르는 합리적 이성을 방해한다는 이유로 철학에서 천덕꾸러기 취급을 받던 상상력을 형이상학과 연결 지으려 했던 것일까?

우리는 바슐라르가 〈상상력의 형이상학〉 수업 첫 시간에 했던 이야기에 잠시 귀 기울일 필요가 있을 것 같아.
과학을 실용적으로 교육하는 분야에서 철학 교육으로 옮겨왔는데도, 나는 완전히 행복하지 못했습니다. 그래서 나는 그 불만족의 이유를 찾고 있었습니다. 그런데 어느 날 디종에서 한 학생이 나의 '살균된 세계'를 상기시켜 주었습니다. 그건 하나의 계시였습니다.
사람은 살균된 세계 속에서는 행복할 수 없는 법이지요. 그 세계에 생명을 이끌어 들이기 위해서는 미생물들을 들끓게 해야 했습니다. 상상력을 회복시키고 시를 발견해야 했던 거지요.

바슐라르가 말하고자 했던 것은 분명해.
지금까지의 서구 문명은 오직 이성에 기반을 둔 객관적 사실만이 인류의 발전에 기여할 수 있다는 사고방식, 즉 합리주의적 사고방식에 의해 이루어져 왔지요.

명확하게 이해할 수 있는 것만을 진리로 인정하는 합리주의는 물질문명을 발전시키는 데 큰 공헌을 했어요.

하지만 많은 손실을 가져온 것도 사실이에요. 합리주의의 발달은 인간 이성 이외의 가치들, 즉 인간의 상상력이나 감성과 같이 인간의 행복과 직접 관련이 있는 요소들을 비합리적이라는 명목하에 문화의 전면에서 몰아내고 만 것이지요.
저리 가.
합리주의
가치
감성

이처럼 감성이나 상상력, 직관을 중요하게 생각하는 바슐라르에게 과학의 역사는 이성을 중심으로 일관되게 발전하는 것으로 생각되지 않았어.
나는 상상력이야말로 인간이 가지고 있는 가장 소중하고도 원초적인 능력이라 생각합니다.
그렇게 보자면 이성의 전개조차도 사실은 상상력의 활동 위에서 이루어지는 것이 아닐까요?

창의성이 상상력의 소산이라 생각하는 바슐라르의 시각에서 보자면,

기존의 과학이 위기에 처할 때마다 그 위기를 벗어나게 하는 것은 이성이 아니라 상상력이며

기존 인식의 틀로부터 단절되고

차이(差異)를 낳는 새로운 과학의 탄생은

결국 쿤의 주장처럼 불연속적인 것이라는 거지.

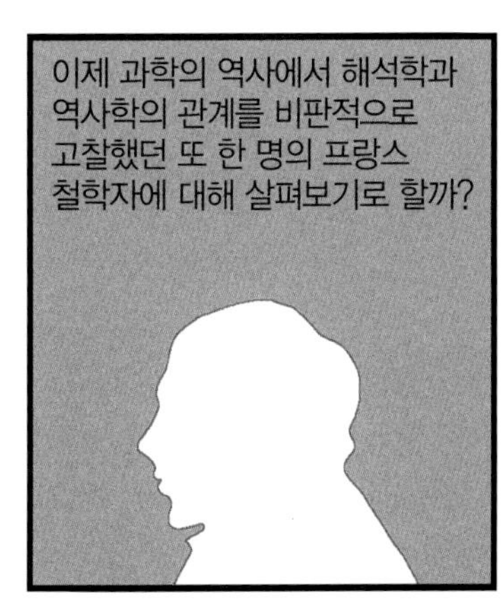
이제 과학의 역사에서 해석학과 역사학의 관계를 비판적으로 고찰했던 또 한 명의 프랑스 철학자에 대해 살펴보기로 할까?

앞에서 잠깐 언급했듯이 그 두 번째 인물은 깡길렘이야.

깡길렘은 푸코의 스승이기도 했어.
선생님, 안녕하세요?
오, 미셸 왔니?

그러니까 푸코가 바슐라르와 깡길렘의 주장을 잘 이해하고 있으며
바슐라르
깡길렘

쿤의 이론보다 앞서 제기된 깡길렘이나 바슐라르의 주장을 받아들이는 것은 어찌 보면 당연한 일이겠지?

깡길렘은 과학이 사실 개념을 다루는 방식과 관련되어 있다고 생각했어.

깡길렘은 세상의 모든 자료는 연구자가 해석한 것이기 때문에 이 세상 어디에도 순수한 자료란 없다고 생각했어.
연구자료 발표
나의생각
나의 철학
나의 이념
결론

또 자료를 최초로 해석한 것이 바로 개념이며
개념

그 자료를 설명하는 것이 이론이라고 주장했지.
개념
이론
자료
해석
설명

그렇다면 자료를 해석해서 얻은 결과인 개념과, 자료를 설명하기 위해 만들어 낸 이론으로 이루어진 과학의 역사를 써 내려가기 위해 우리는 무엇을 해야 할까?
개념
이론

깡길렘은 선택이 필요하다고 했어.

어떤 것을 기술하고 무엇을 버릴 것인지를 결정하는 것 말이야.

그럼 과학사를 기술(記述)하기 위해 필요한 선택의 기준은 어디에서 오는 것일까?

그 기준은 바로 역사를 기술하는 현재의 가치관이야.

깡길렘에게 과학의 역사는 중성적이거나 객관적인 것이 아니라 현재의 가치관에 따라 결정되는 일종의 '법정'과 같은 성격을 띠는 것이었어.
땅.
땅.

푸코는 앎의 문제를 다루는 철학의 역사 또한 비슷하게 기술된다고 생각했어.

철학

우리 대부분은 서구의 근대 철학이 데카르트에서 헤겔에 이르는 연속적인 전개 과정이라 생각하고 있어.

마치 칸트는 헤겔의 등장을 알리는 예고편이고 데카르트는 칸트를 등장시킨 원동력이라도 되듯이 말이야.

데카르트 → 칸트 → 헤겔

하지만 자료를 해석하는 입장은 늘 변하기 마련이야.

해석의 기준이 해석 당시의 가치관에 따라 결정되는 것이라면 더더욱 그렇지.

가치관에 어긋나는 이론이야.

결국 이제까지의 모든 역사는 이성이라는 목표를 향해 마름질된 자료들의 재구성에 불과했던 거야.

이성
역사
해석
가치관
목표

바슐라르와 깡길렘의 가르침을 바탕으로

푸코는 이제 앎의 역사를 새로운 방식으로 기술하려고 해.

어떠한 목적도 미리 정하지 않은 채 자료를 다루고 불연속의 지점을 찾아내어 분석하는 방법.

!
단절

그것이 바로 푸코의 철학적 방법론인 고고학적 방법론이야.

고고학 방법론

4장

고고학적 방법론의 목적과 성격

계급투쟁
이성
목적·방법
고고학
무의식
역사
개념
지식

푸코가 고고학적 방법론을 사용해서 하려고 했던 작업은 과연 무엇일까?

앞서 우리는 하나의 목적을 미리 설정하고
목적

과거의 사건들을 그 목적에 따라 재배열하는
역사
논리
주관
성향
취향

목적론적 역사주의에 반대하는 푸코의 생각을 살펴보았어.
콰앙!
역
사

푸코는 하나의 사건이 선입견 없이 객관적으로 받아들여져야 한다고 생각했어.
사건

으음…, 이 사건은 이렇게 해석하는 게 맞지 않을까? 내 입장에서는 그게 옳을 것 같은데….
안 돼. 객관적 거리를 유지한 채로 그냥 살펴보기만 하자니까.

이처럼 푸코는 선입견이나 편견처럼 미리 만들어진 틀을 벗어나야만 하나의 사건을 있는 그대로 볼 수 있게 된다고 주장해.
편견
보인다!

인간들이 지식이라 부르는 것, 즉 앎의 역사 또한 이러한 방식으로 다루어져야 한다고 생각했지.
지식

왜 그래야만 하는지 생각해 볼까?
?

사실 지식의 역사라 불리는 것은 과거에 지식이라 불리던 것들 중 일부만을 선택해서
예쁜 내 자식.
지식
우리는?

현재의 관점에 맞춰 재조정하고,
과거 지식

논리적이고 연속적으로 설명될 수 있는 지식들만을 골라, 이루어졌어.
이보다 완벽할 순 없다.
지식
논리
내가 짱!
자기 해석적.

이 부분에 대해 프랑스 철학자이자 철학사가인
마르샬 게루(Martial Guéroult, 1891~1976)의 설명을 들어 볼까?
우리는 아주 오랫동안 위대한 철학자들의 주장을 그들 간의 관계, 혹은 전통과 문화의 연속성상에서 설명하려 했어요.
하지만 그것은 옳지 않은 방법이지요.

사실 철학자와 철학자 사이에는 간극이라는 게 있어.

반면에 한 철학자의 저작들을 살펴보면 거기에는 통일성이 있지.
하
나
의
인
식

저는 그 통일성을 건축학적 통일성
(Unités Architectoniques)이라 생각하지요.

말하자면 한 철학자의 저작물이 많다고 해도 그 저작물들은 하나의 건축물을 구성하는 체계와 같은 거야.

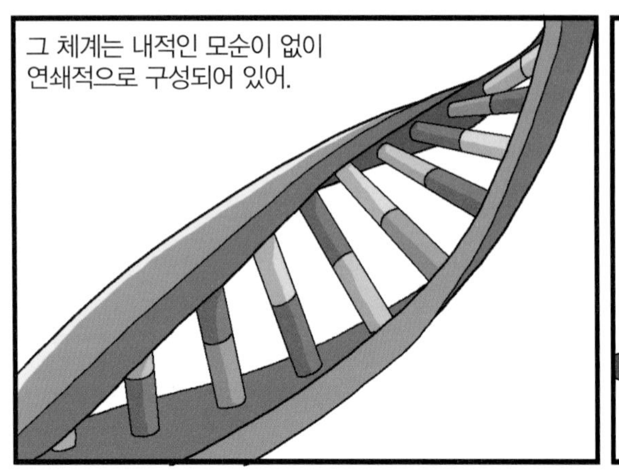
그 체계는 내적인 모순이 없이 연쇄적으로 구성되어 있어.

그렇기 때문에 각각의 저작물들은 각기 다른 수준에서 분명한 가치를 갖는다고 볼 수 있어.
어떤 하나의 저작물만을 중요시하거나 무시할 수 없게 되는 거지.

이런 방식으로 철학에 접근하게 되면 각각의 이론은 누가 누구의 후계자라는 연속성의 족쇄에서 벗어나 그것만이 갖는 고유의 구조를 드러내 보일 테지요.

인식

그게 무슨 의미가 있느냐고요?

이렇게 함으로써 우리는 연속적인 작업들에서도 이론적 변환이 있음을 확인할 수 있어요.

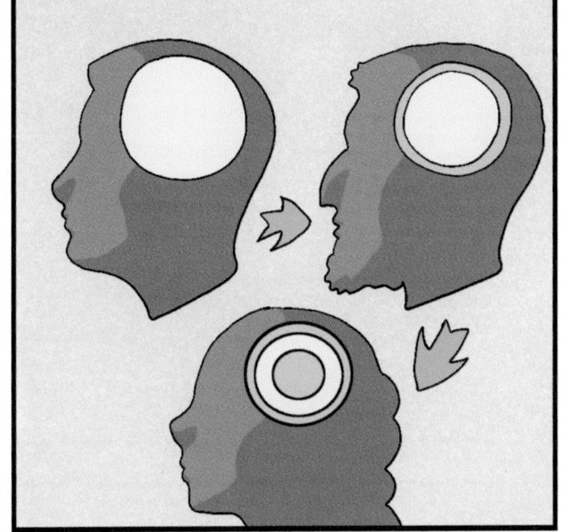

예를 들어 데카르트의 철학과 칸트 철학 사이에 해결할 수 없는 간극이 있다는 걸 설명하면 칸트가 데카르트의 후계자라고 설명했던 기존의 방식이 하나의 신화에 불과하다는 것을 증명하게 되는 것이죠.

제자야….
간극

또한 기존의 관점에서 벗어나 있다는 이유만으로 정당한 평가를 받지 못했던 철학들에 대해서도 다시 생각하게 되겠죠.

나를 인정해 줄 날이 올 거야.
사회 통념

스피노자에 관한 제 연구가 적합한 사례가 될 거예요.

게루는 이러한 견해를 프랑스의 구조주의-마르크스주의 철학자 루이 알튀세(Louis Althusser, 1918~1990)와 공유하고 있었어.

당신도 같은 생각이신 거죠, 알튀세?
물론이지요. 철학은 과학이에요. 우리의 생각을 좌지우지하려는 이데올로기가 아니란 말입니다.
우리는 과학과 이데올로기를 떼어 놓아야 해요.

우리가 전통이라는 이름으로 기대고 있었던 과거가 바로 이데올로기입니다.

바로 그거예요. 우리가 주의를 기울여야 할 것은 전통이 아니라 단절의 지점들이에요.

푸코는 게루와 알튀세의 지적을 받아들여 새로운 사고방식을 택하게 돼.

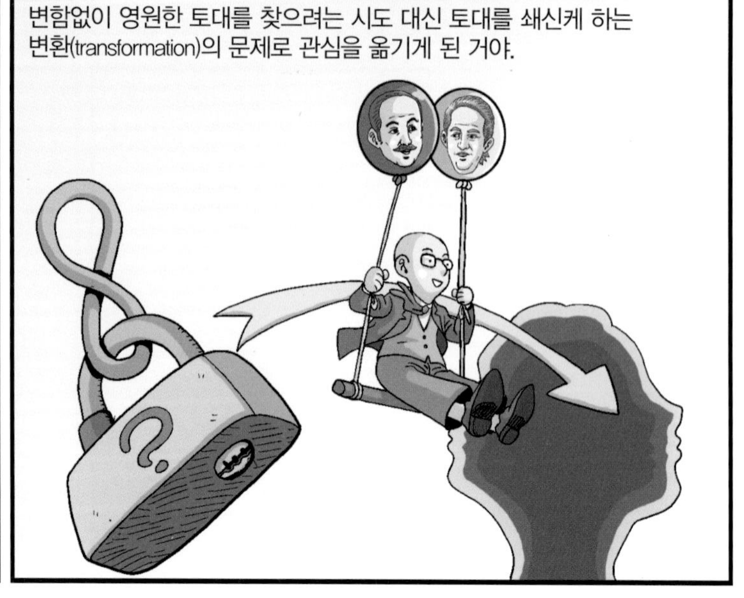
변함없이 영원한 토대를 찾으려는 시도 대신 토대를 쇄신케 하는 변환(transformation)의 문제로 관심을 옮기게 된 거야.

그런데 이 변환은 단순한 변화와는 달라.

변환이라는 개념은 하나의 체계가 자신의 본 모습을 완전히 바꾸어 다른 체계가 되는 것을 의미해.
지식 정보

변환은 이론가에 따라 여러 이름으로 불려 왔어.

어떤 이는 이것이 하나의 장(場)에서 다른 장으로 이행되는 부분이란 뜻으로 '문턱(seuil)'이라 불렀고,
문턱이라 부를게.

혹자는 이전의 논의와 맥을 달리 한다는 의미에서 '단절(rupture)'이라 여겼지.

하지만 그것이 어떻게 불리든 그 명칭들은 모두 불연속(不連續)을 뜻해.

문제는 명칭이 아니란 말이지.
이름표

만약 역사가 연속적인 것이 아니라면, 우리는 불연속과 관련된 서로 다른 개념들을 어떻게 다루어야 할지 고민해야겠지.

또 불연속과 관련된 단위들을 어떤 기준으로 분리시킬지에 대해서도 생각해 봐야 할 거야.

왜냐하면 불연속에 대해 알게 된 이상 이제 더는 연속성을 중심으로 과학 전체를 이해할 수 없을 테니까.
불연속성

과학뿐만이 아니야. 이론 전체에 대해서도

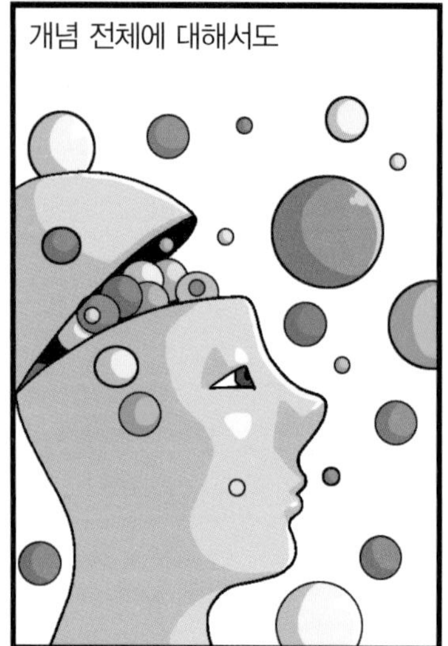
개념 전체에 대해서도

심지어는 예술 작품 전체에 대해서도

연속성을 하나의 일반적인 성격으로 규정할 수 없게 될 거야.
개념
과학
예술
심리

우린 이제 질문의 형식을
바꿔야만 해.

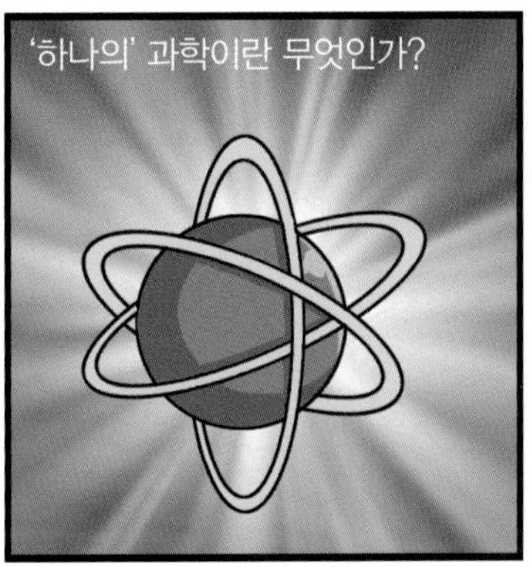
'하나의' 과학이란 무엇인가?

'하나의' 이론이란 무엇인가?

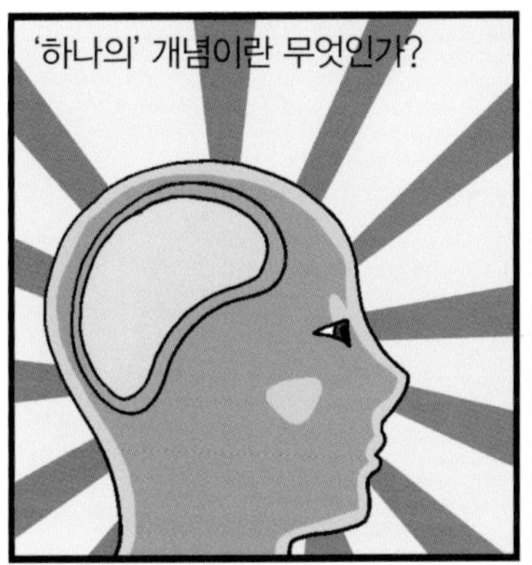
'하나의' 개념이란 무엇인가?

'하나의' 작품이란 무엇인가?

만약 이대로라면 이제까지의
과학의 역사, 사유의
역사, 예술의 역사는
설 자리를 잃게
되고 말아.
역
사

다른 형식의 질문에 답하기 위해
우리는 어떻게 해야 할까?

푸코는 문서를 다루는 방식에 의문을 제기해야 한다고 말해.
과학
역사

사실 역사학이라는 분야가 생겨난
이래로
역사학

사람들은 문서를 이용했고,
수고하네.

문서를 조사해 왔어.
어디 보자.

그 과정에서 사람들은 조사의 대상이 되는 문서가 무엇을 의미하는지 묻고
구체적으로 너는 뭐니?

그 문서들은 진실을 말하지.

또 그 문서가 참된 정보를 가진 것인지
진실

거짓된 정보를 가진 것인지,
ㅋ.ㅋ.ㅋ..

진본인지
TRUE

가짜인지,
뤼비통
가짜

그 진위를 판별할 수 있는 근거는 무엇인지 등을 물어보았어.
O
X

하지만 푸코는 역사가 문서를 다루는 방식이 잘못되었다고 비판해.
편향적인 역사관은 안 돼요.

이제껏 역사가 하나의 목적 아래 문서들을 다뤄 왔기 때문에 문제가 있다는 거야.
목적
역사

실제로 역사는 목적에 따라 문서들을 조직화하고
A

마름질하고

분배하고
역사

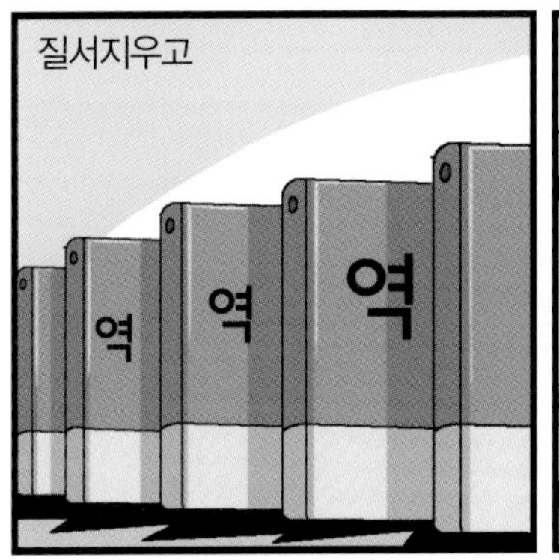
질서지우고
역
역
역

계열을 만들어 각각의 문서를 하나의 계열 속에 위치시키고
가
나
다

목적에 부합하는 것과 그렇지 않은 것을 구분하고
A
B

요소들에 지표를 붙이고
철학

통일성을 부과한 다음
전집

관계들을 기술(記述)하는 일을 해 왔어.
과학의
역사

말하자면 역사는 문서로 이루어진 직물 내에서
역사

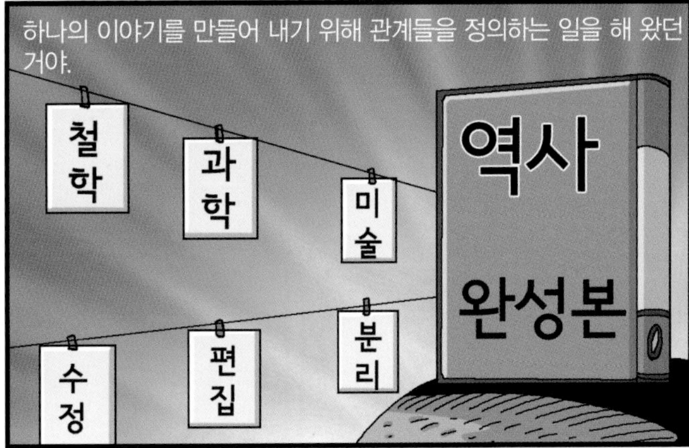
하나의 이야기를 만들어 내기 위해 관계들을 정의하는 일을 해 왔던 거야.
철학
과학
미술
수정
편집
분리
역사
완성본

그렇다면 문서는 어떻게 만들어지는 걸까?

하나의 사회에는 인간 중심적 관점의 사유를 정당화시키는 아주 오래된 집단적 기억의 이미지가 있다고 해.

우리는 이 이미지를 근거로 책이나 텍스트, 이야기들,
심지어는 관습들을 조직하고 사용해 왔지.

과거의 일들을 설명하기 위해 우리는 과거에 있었던
일들을 뒤틀어서 인간중심적 관점에서 비롯된
이미지에 종속시키려는 노력을 해 왔던 거야.
역사기록

결국 기존의 역사는 인간의 삶
속에서 나타나는 특정한 사건,
즉 기념비들을
신개념 이론

집단적 이미지에 비추어
기억화하고

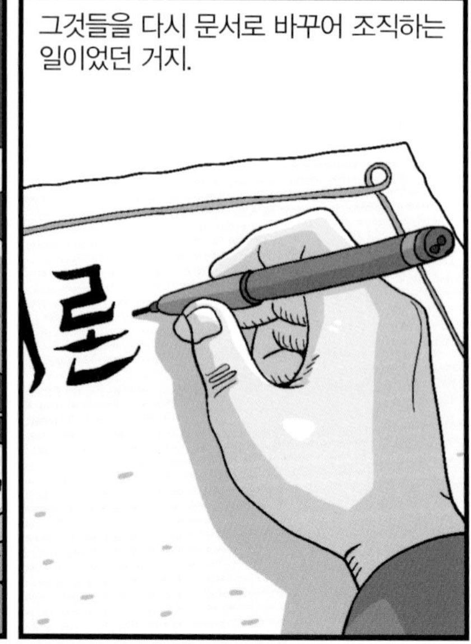
그것들을 다시 문서로 바꾸어 조직하는
일이었던 거지.
론

우리 시대의 역사는 기존 역사의 잘못에서 어떻게 벗어날 수 있을까?
역사

푸코는 우리 시대의 역사가 기념비들을 문서로 만드는 대신

문서를 기념비로 변환시켜야 한다고 말해.
진실의 문
역사

다시 말해 이미 조직화되어 있는 기록의 요소들을 풀어내는 작업이야말로 우리 시대가 해야 할 일이야.

인간의 말로 기념비들을 해석하기를 멈추고
쉿!
사건

정해진 맥락 없이 대상들을 다루며

기록되지 않고 과거에 묻혀 있는 사물들을 연구하는 것.
이제야 빛을 보는구나.

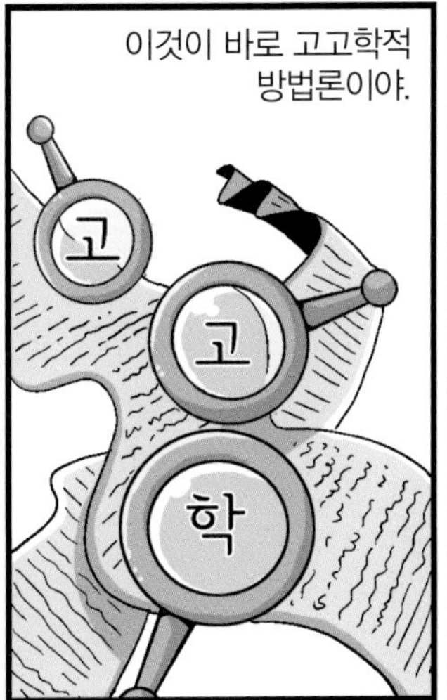

이것이 바로 고고학적 방법론이야.
고
고
학

푸코는 우리 시대의 역사는 고고학을 방법론으로 삼아야 한다고 주장하고 있어.
고고학

자, 우리가 역사 연구 방법으로 고고학을 택한다면
어떤 결과가 있을까?
궁금해.
고고학 역사 연구

푸코는 크게 네 가지 장점이 있다고
설명하고 있어.
4가지
장점

첫째, 총체화를 의심하는 계기를
제공해.
역사 파일

기존의 역사 서술 방법을 따르자면,
역사가들은 늘 중요한 사건과
사소한 사건들,
이것은
대형사고.

드물게 일어나는 사건들과 반복적인
사건들을 구분하고
여러 개.
하나.

그것들에 알맞은 계열들을
구축한 다음
너는 이쪽.
자연계
우주계

계열들과 요소들 각각의 관계를
규명하고
이렇게
나누고.
잎
줄기
열매

그것을 기술하는 일을 담당해 왔어.

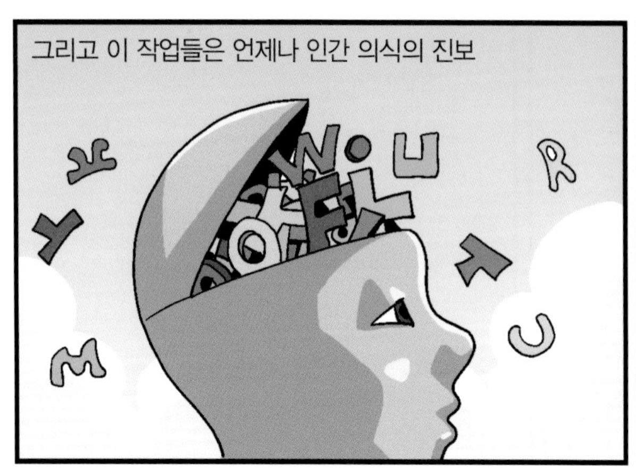

그리고 이 작업들은 언제나 인간 의식의 진보

또는 이성에 의한 인간 사유의 진화라는 목적 아래
구성된 기나긴 계열을 향해 조직되었지.

하지만 인간중심주의라는 시각에서 벗어나 사건을 있는 그대로 살펴본다면 우리는 똑같은 사건들을 가지고 다른 이야기를 구성할 수 있어.
진화론

우리가 앞서 살펴보았듯이 과학의 역사에서 보이는 인간 의식의 진보는 하나의 목적을 향해 나아가는 연장선 대신 단절을 보여 주는 계기가 되기도 했지.
암~, 천동설과 지동설은 완전히 다른 거야. 단절이고말고.
천동설
내 시각이 틀렸었구나.

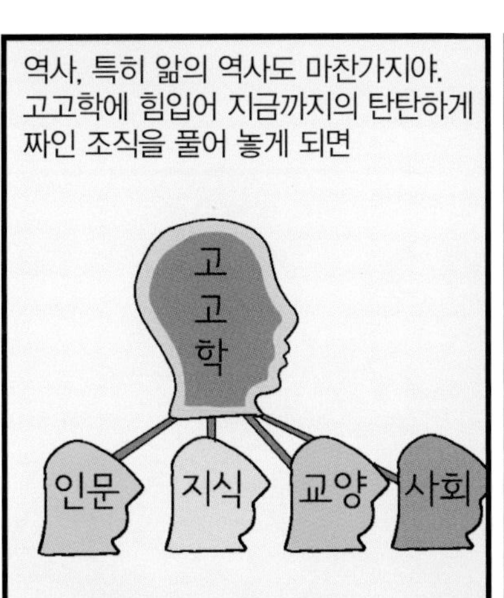
역사, 특히 앎의 역사도 마찬가지야. 고고학에 힘입어 지금까지의 탄탄하게 짜인 조직을 풀어 놓게 되면
고고학
인문
지식
교양
사회

각각의 계열들은 하나의 선형적 도식으로 정리될 수 없을 정도로 서로 교차하고 포개져서

각각의 관계를 논리적으로 설명할 수 없을 만큼 개별적인 계열들로 남게 돼.

이 계열들은 서로 구분되기 때문에

하나의 법칙이나 목적 아래 정리되는 것에 저항하고
법칙

하나의 목적 아래 조직화되는 총체화를 벗어나게 되는 거야.

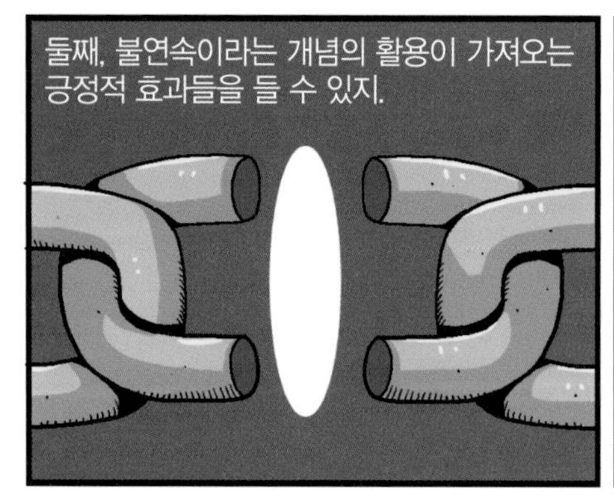
둘째, 불연속이라는 개념의 활용이 가져오는
긍정적 효과들을 들 수 있지.

푸코는 불연속의 개념이 역사학적 탐구에서 주요한 자리를 점하게
된다고 말해.
불연속

고전적 역사학에서 불연속이란 흔히
개인적인 결심이나
꼭 완성한다.

예기치 않은 사고들,
파지직!

발견들처럼

실제 역사가들에게 주어진 어떤 것이지만
개념

동시에 그것은 사유할 수 없는 어떤 것으로 여겨졌어.
?
왜 이렇게
된 거지?

일련의 사건들에 연속성을 부각하기
위해
불연속

불연속의 부분들은 제거 또는
배제의 대상이자
메우자.

지워져야 하는 것이었지.
칙칙 폭폭..
연속성

하지만 고전적 역사학과 달리, 우리 시대의 역사에서 불연속성은 역사 분석의 기본 요소 중 하나가 되었는데,

AGE
FKM

그 까닭은 불연속성이 역사 분석에서 세 가지 역할을 하기 때문이야.
3

첫 번째, 역사가가 스스로 깊이 생각한 후 능동적으로 재료를 취급하도록 한다는 거야.

미리 정해진 흐름이 없기 때문에 역사가는 재료를 어떻게 다룰 것인가에 대해 어떠한 강요도 받지 않게 될 거야.
자유롭게 다양한 실험을 하자.

두 번째, 불연속은 그의 분석에서 사라져야 할 것이 아니라 그 분석의 결과가 된다는 거야.
불연속

우리 시대 역사가가 발견하려 하는 것은 연속성이 아니라

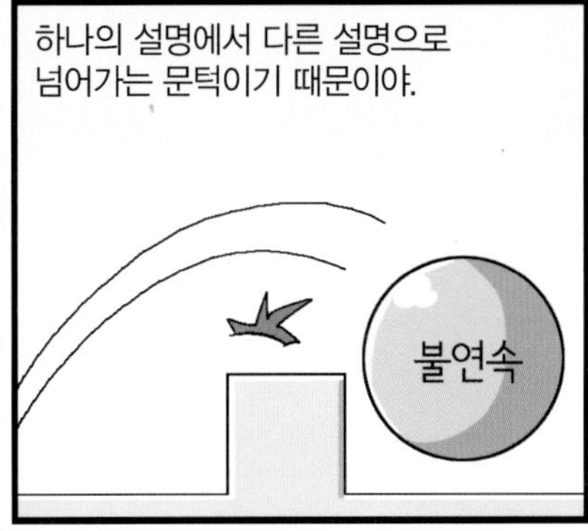
하나의 설명에서 다른 설명으로 넘어가는 문턱이기 때문이야.
불연속

세 번째, 불연속성은 역사가가 작업을 통해 특정화하려고 하는 개념이라는 사실이야.
자료
a

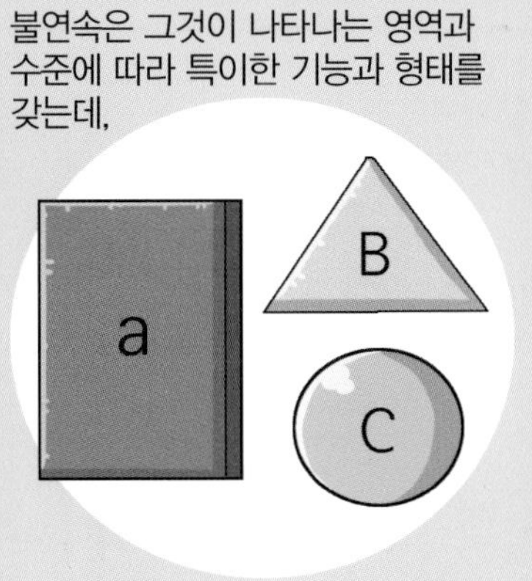
불연속은 그것이 나타나는 영역과 수준에 따라 특이한 기능과 형태를 갖는데,
a
B
C

이를 밝혀내는 것이 역사가의 일이 된다는 거야.
너희들은 누구니?
B
C

불연속성과 우리 시대 역사 연구에 대한 푸코의 설명을 듣다 보면 독특한 점이 있어.

그건 불연속이라는 개념이 역사 연구의 도구인 동시에 연구의 대상이 된다는 점이야.
불연속성

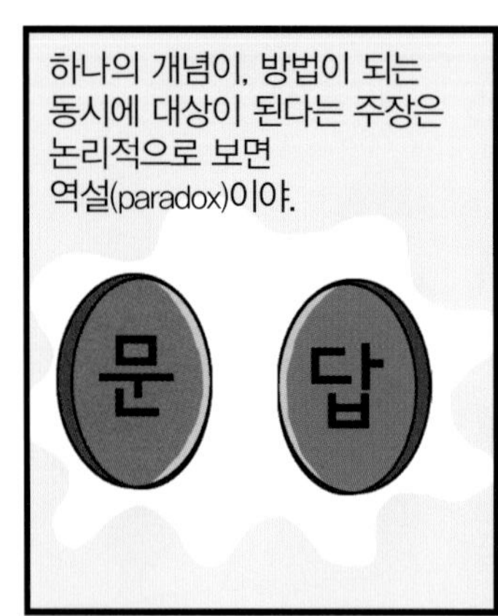
하나의 개념이, 방법이 되는 동시에 대상이 된다는 주장은 논리적으로 보면 역설(paradox)이야.
문
답

푸코는 왜 이런 설명을 하는 것일까?

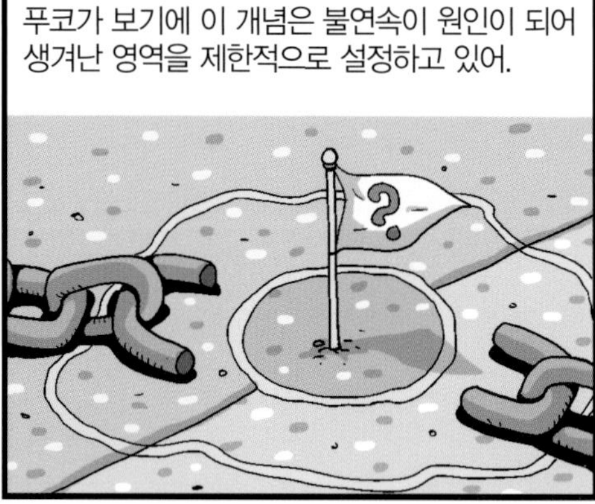
푸코가 보기에 이 개념은 불연속이 원인이 되어 생겨난 영역을 제한적으로 설정하고 있어.

불연속에 의해 제한된 영역은 개별적인 것으로 취급되고

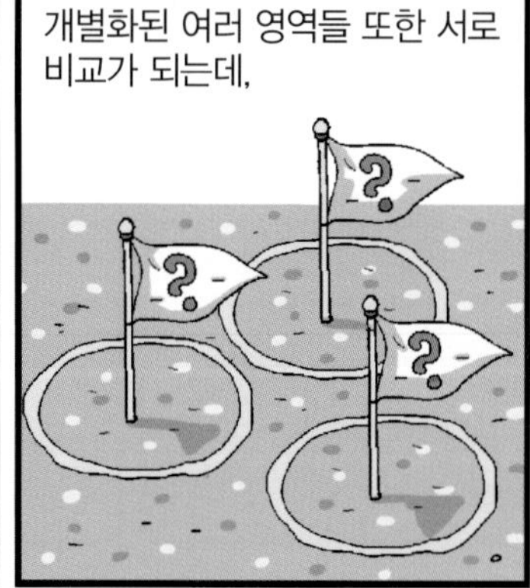
개별화된 여러 영역들 또한 서로 비교가 되는데,

이들은 불연속에 의해 개별화된 영역들로 한정될 수밖에 없어.
개별
분석

게다가 역사가가 연구의 대상으로 삼아

역사가 비밀스럽게 전제하고 있는 부분을 들추어낼 수 있는 것도 바로 이 불연속의 지점이 되기 때문에
바로 여기구나.

불연속의 개념은 연구의 방법이자 대상이 되는 거야.
불
연
속

고고학의 세 번째 장점은 일반 역사(histoire générale)의 초안을 생각해 보게 된다는 점이야.
역사

푸코는 기존의 역사 서술을 전체 역사(histoire globale)라고 불러.
전체 역사

이 방식은 한 문명의 총체적 형태,

한 사회의 물질적 혹은 정신적 원리,
전체 역사

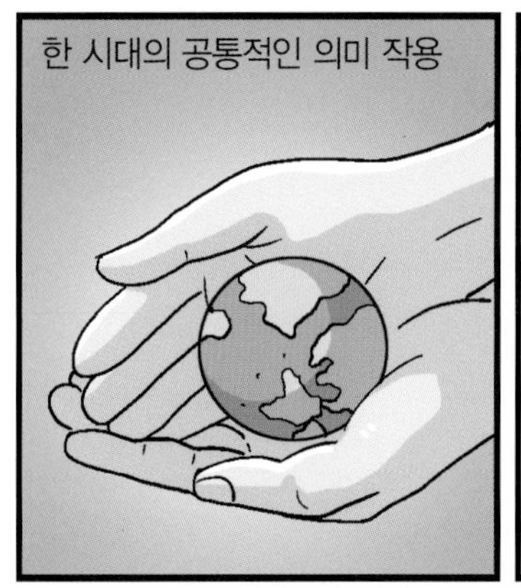
한 시대의 공통적인 의미 작용

또는 한 시대의 공통적인 세계관 등

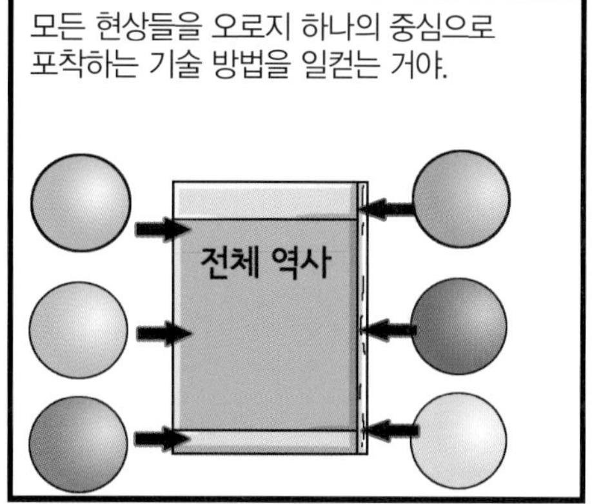
모든 현상들을 오로지 하나의 중심으로 포착하는 기술 방법을 일컫는 거야.
전체 역사

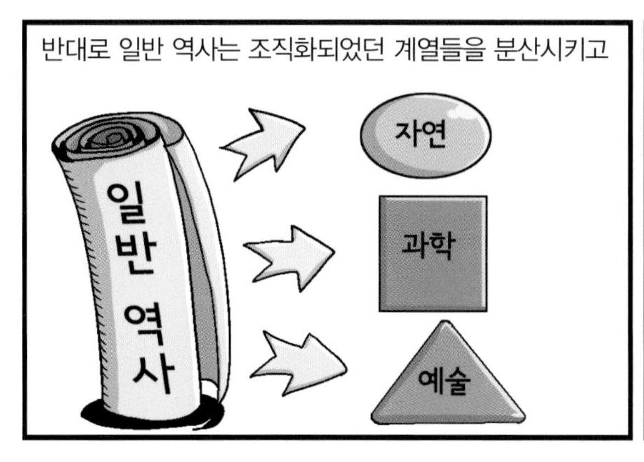
반대로 일반 역사는 조직화되었던 계열들을 분산시키고
일반 역사
자연
과학
예술

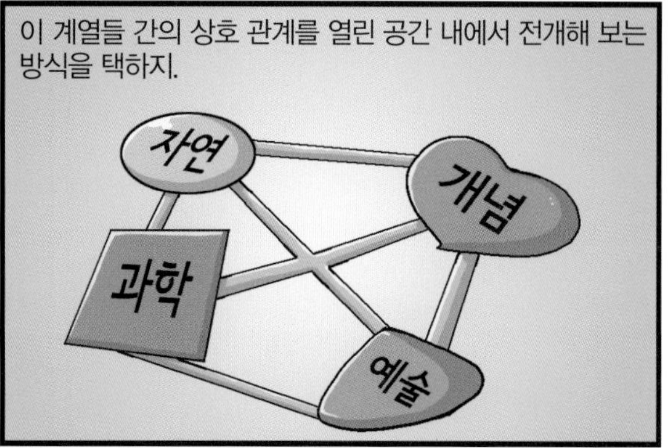
이 계열들 간의 상호 관계를 열린 공간 내에서 전개해 보는 방식을 택하지.
자연
개념
과학
예술

네 번째 장점은 고고학을 통해 기존의 역사 서술 방법의 문제들과 그에 대한 기존 입장에 어떻게 대처해야 하는지 잘 알 수 있게 된다는 점이야.

고고학
?

예를 들어 수많은 문서들 중에서 목적에 부합되는 것만을 취합해 하나의 문집(文集)을 구성할 때,

정리

또 그 문서들을 다룰 때 필요한 선택 원리를 수립할 때,

선택 기준
선택 기준
선택 기준

연구 재료 간의 관계를 정립할 때에도 지배 원리는 언제나 인간 이성이라는 하나의 중심으로부터 시작됐어.

인간 이성

이에 대한 문제 제기는 탈중심(脫中心, décentrement)이라는 테마를 둘러싸고 전개되었는데,

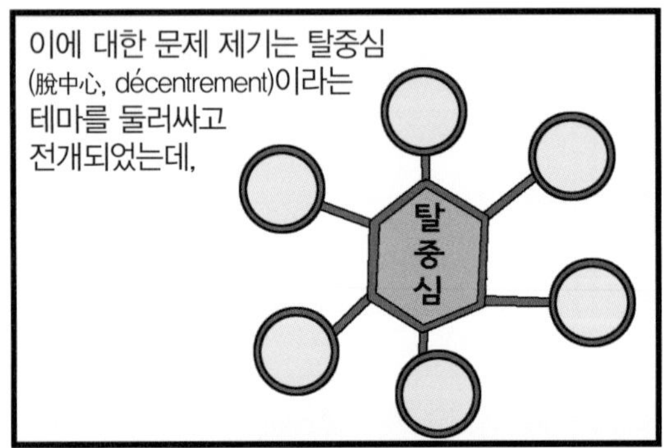
탈중심

이는 19세기 후반 마르크스, 니체, 프로이트 등이 활발히 전개했지.

마르크스(Karl Marx, 1818~1883)는 한 사회의 모든 차이를 인간중심주의라는 하나의 형태로 집약시키려는 전체 역사에 대항했어.

밀릴 수 없다!
찌이익!
드 니 비 ...

마르크스는 생산관계와 같은 물질적 토대가
사회 형태를 만든다고 주장했어.
유물론

다수의 개인이 협동을 통해서 재화를 생산하기 때문에
개인은 생산 과정에서 분업이나 협업과 같은 일정한 사회관계를
맺을 수밖에 없어요. 이 사회관계가 바로 생산관계예요.

그런데 이러한 사회관계는 그 사회의 생산 양식이나 산업의 발전
단계와 긴밀하게 결합되어 있기 때문에 생산 양식이나 산업의
발전 단계에 따라 사회관계도 다른 모습으로 나타나지요.

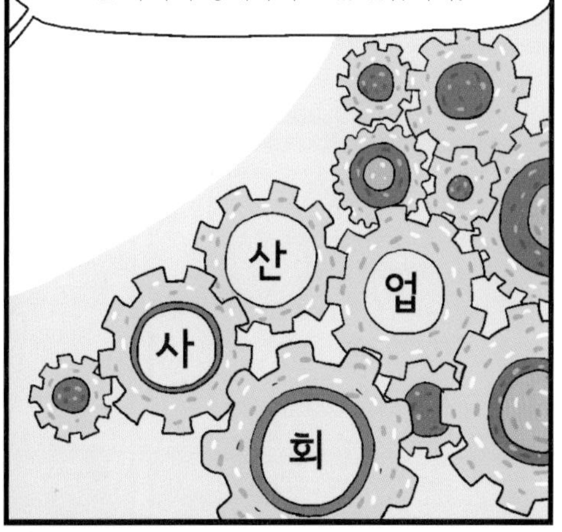
그리고 이러한 협업 양식과 같은 사회관계와
생산력은 생산 양식을 규정하고 나아가
한 사회의 형태나 구조를 만듭니다.
산
업
사
회

그래서 역사나 사회를 이해하기 위해서는
항상 이러한 생산력이나 생산 과정에서
맺게 되는 사회관계와 같은 물질적 토대를
중심에 두어야 하는 것이지요.
관
계

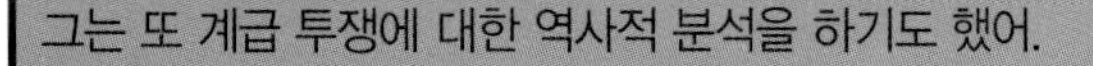
그는 또 계급 투쟁에 대한 역사적 분석을 하기도 했어.
계급 투쟁이란 서로 다른 계급이 지배권을 획득하기 위하여
일어나는 대립 투쟁을 말하는 것입니다.
우
우
우.

즉 생산수단의 사유화에 기초를 둔 계급 사회에서 계급 간의 대립이 낳은 적대적 모순을 해결하기 위한 투쟁이 바로 계급 투쟁인 것이지요.

생산수단을 소유한 계급이 그렇지 않은 계급을 착취하기 때문에 사회는 늘 적대적인 계급 관계를 낳게 됩니다.

그래서 모든 사회의 역사는 계급 투쟁의 역사라는 겁니다.

인간 사회는 원시 공동체 제도 해체 이후, 노예제 사회의 노예 소유자와 노예, 봉건제 사회의 영주와 농민, 자본제 사회의 자본가와 노동자라는 사회경제 구성체인 두 개의 기본적인 계급 간 투쟁을 원동력으로 발전해 왔답니다.
노예사회
봉건사회
자본사회

그리고 이제 직접 생산자인 프롤레타리아가 생산수단의 소유자인 부르주아로부터의 해방을 외치고 있습니다.
노동해방

지금 프롤레타리아가 벌이고 있는 투쟁은 인간 사회 전체를 탈취와 억압, 계급 투쟁으로부터 영구적으로 해방시키고자 하는 단계에 있습니다.

동지들이여, 영원한 해방을 위해 힘을 냅시다!

니체(Friedrich Nietzsche, 1844~1900)도 이성을 중심으로 하는 관습에 반기를 들었어.
우리는 이성을 중심으로 하는 기존의 관습을 뒤흔들고, 새로운 가치를 도입해야 합니다!

나아가 우리는 기존의 가치를 전도하여 새로운 인간상을 만들어 내야 합니다!

우리가 죽으면 신의 심판을 받아 선한 이들은 신의 나라에, 악한 이들은 지옥 불에 떨어진다는 것은 믿을 게 못 됩니다.
떽!
예수 천국
불신지옥
예수

오히려 우리는 죽어도 다시 이 땅에 태어날 운명입니다.
으앙.

그 어떤 초월적 세계도 존재하지 않는다는 얘기지요.

이것은 저의 *'영원회귀'라는 개념으로 설명할 수 있습니다.
생
사

'영원회귀'를 받아들이고 삶을 긍정적으로 수행해 나가는 자만이 여러분의 언어로 초인이라 번역되는 '위버멘쉬'의 삶을 영위하게 되는 것입니다.

* 영원회귀: 니체가 그의 저서 《차라투스트라는 이렇게 말했다》에서 내세운 사상으로, 영원한 시간은 원형을 이루고, 그 안에서 우주와 인생은 영원히 되풀이됨을 의미한다.

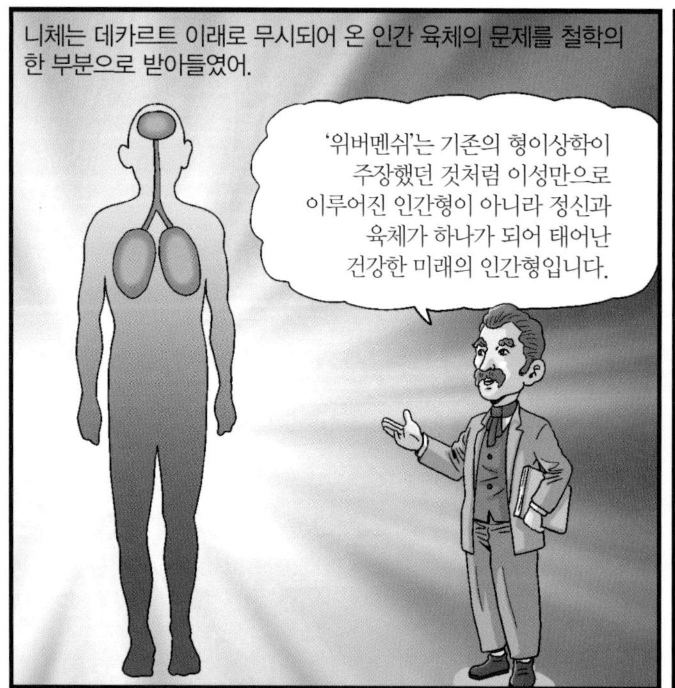

니체는 데카르트 이래로 무시되어 온 인간 육체의 문제를 철학의 한 부분으로 받아들였어.
'위버멘쉬'는 기존의 형이상학이 주장했던 것처럼 이성만으로 이루어진 인간형이 아니라 정신과 육체가 하나가 되어 태어난 건강한 미래의 인간형입니다.

니체는 합리적 철학, 기독교 윤리 등 부르주아의 정신적 기반이 되었던 모든 것에 반기를 들었어.
반대
종교
철학
윤리

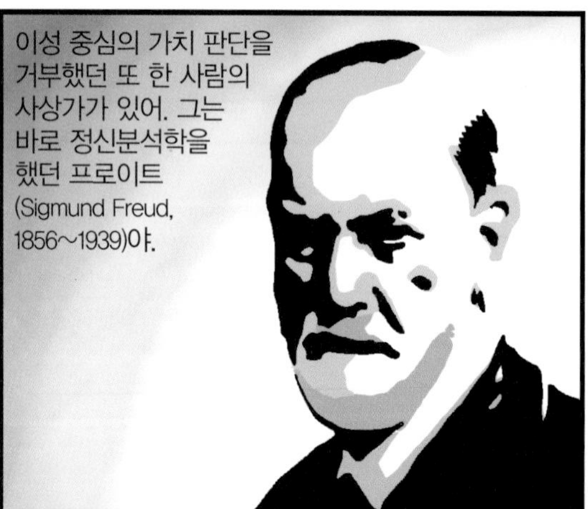

이성 중심의 가치 판단을 거부했던 또 한 사람의 사상가가 있어. 그는 바로 정신분석학을 했던 프로이트 (Sigmund Freud, 1856~1939)야.

프로이트는 히스테리 증상을 보이는 정신질환자의 연구를 통해 인간 무의식의 존재를 발견했어.
아.
아~

우리의 정신 속에는 의식되지 않은 무의식이 있어.
?

그런데 무의식은 정신질환자에게만 있는 것일까?
히~

아닐 거야. 일반인의 심리 분석을 통해 인간 무의식의 근본 구조를 규명해 봐야겠군.

프로이트의 무의식론은 의식의 영역만을 연구 대상으로 삼던 기존의 인식론에 대한 도전이었어.
무의식론
인식론

특히 데카르트의 명맥을 잇던 사르트르는 받아들이기 힘든 주장이었지.
뭣이라? 우리가 무의식의 영향을 받을 수밖에 없는 존재라고? 있을 수 없는 일이야.
흥.
무의식론

사르트르의 말을 살펴보면 19세기 후반부터 20세기 초반에 걸쳐 진행된 탈중심화가 쉽지 않았음을 알 수 있어.

20세기 중반의 철학자 사르트르의 반응도 이처럼 예민하고 부정적이었으니까 말이야.
끼릭
모든 문화는 중심으로 통한다.
끼릭

중심을 따르는 진영으로부터 대반격이 있었어. 탈중심화에 맞서 중심을 재설정하려는 움직임이었지.
중심

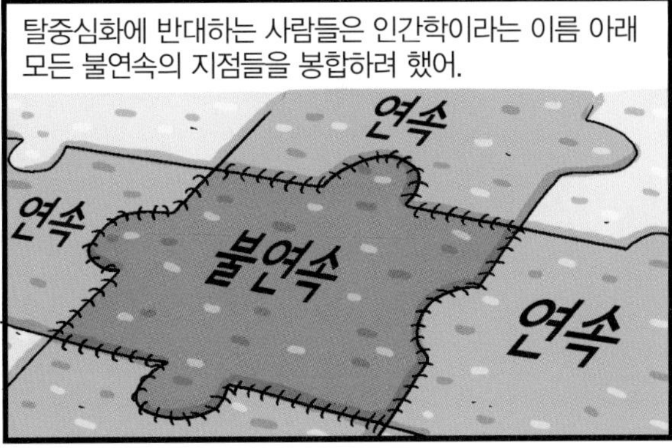
탈중심화에 반대하는 사람들은 인간학이라는 이름 아래 모든 불연속의 지점들을 봉합하려 했어.
연속
연속
불연속
연속

사람들은 마르크스의 주장을 단절이 아니라 문화적 총체성이라는 중심을 만들어 설명하려 했고
생산력의 변화가 사회관계의 변화를 가져오고, 생산과 관련된 물질적 토대가 변하면 상부 구조도 변하고…. 그 마지막에 프롤레타리아 인민 해방을 위한 투쟁이 자리한다는군.
결국 모든 것은 인민 해방이라는 하나의 목적을 향해 가는 거야~.
흠…, 인류의 역사를 설명하는 새로운 방식이로군….

니체의 《도덕의 계보》는 결국 도덕이 어떻게 탄생하게 되었는지를 설명하려는 거지? 그러니까 니체가 하려던 작업은 어떤 것의 시초를 찾으려는 시도가 맞네.
위버멘쉬란 결국 인간을 넘어선 초월적인 존재인 거지?
그런 거지. 그런데 말이야. 그 영원회귀란 건 결국 허무주의를 말하는 거 아냐?
또 니체의 현실적 주장을 '시원(始原 : 사물이나 현상 따위가 비롯되는 처음)을 찾아가는 탐구'라는 초월적 용어들로 이해했어.

프로이트의 무의식에 대해서는 의식의 절대성을 주장했지.
프로이트가 아무리 무의식의 존재를 이야기하고 있어도 우리는 의식을 가진 인간이라고!
암~, 프로이트도 무의식을 구성하는 이드(Id, 욕망과 충동)와 초자아(Super-Ego, 욕망을 억압하는 기제) 사이에서 충돌을 조절하는 것은 바로 자아(Ego)인 의식이라고 하잖아.

우리는 지금까지 푸코의 설명을 따라 인간의 본질을 이성 또는 의식에 두고 인간의 역사를 설명해 온 하나의 흐름과

그와 반대로 탈중심화를 통해 인간과 지식을 설명하고자 한 이론들에 대해 살펴봤어.

하지만 푸코의 관심은 누가 승리자인지를
밝히는 데 있지 않았어.

이 과정에서 드러나는 사실들에 사람들이 주목하길 바랐지.

푸코는 어떤 것을 설명하는 방식, 즉 지식의 역사는
당시 앎이라 여기는 것들이 어떻게 구성되는지,
객관적으로 들여다볼 수 있는 계기를 마련해 준다고
생각했어.

뿐만 아니라 앎이 구성되는 계열들을 살펴봄으로써 시간의
흐름에 따라 변하는 대상에 대한 앎, 즉 앞선 시기의 앎과
그 이후의 앎 사이에 단절과 단절의 이유 또한 고찰할 수
있을 거라고 생각했어.

결국 우리는 불연속이라는 개념을 중심으로 한 시대를 특징짓는
앎 자체를 하나의 연구 대상으로 볼 수 있는데, 이것이 바로
고고학적 방법론의 목적인 동시에 특징적
성격이라 할 수 있어.
고고학적
방법론

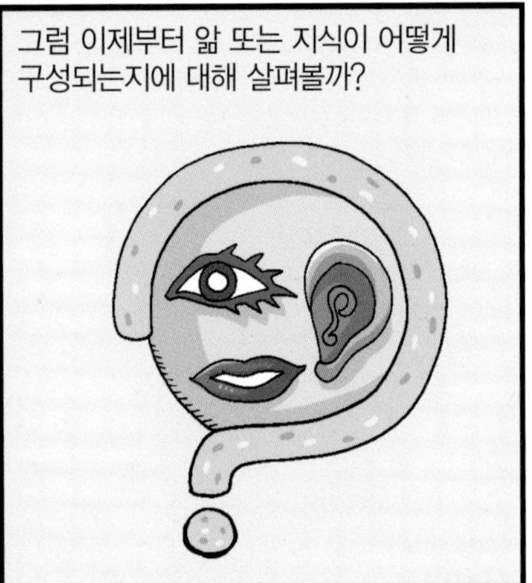
그럼 이제부터 앎 또는 지식이 어떻게
구성되는지에 대해 살펴볼까?

5장 지식은 어떻게 만들어질까? ①

대상과의 관계를 중심으로

지식(또는 앎)은 어떻게 만들어질까?

지식은 우리가 감각적으로 느끼거나 즉각적으로 얻어지는 게 아냐.

예를 들어, 우리가 둥근 형태의 사물을 본다고 해서 원에 대한 지식을 갖고 있다고 말할 수 없는 것과 같아.
훌라후프다.

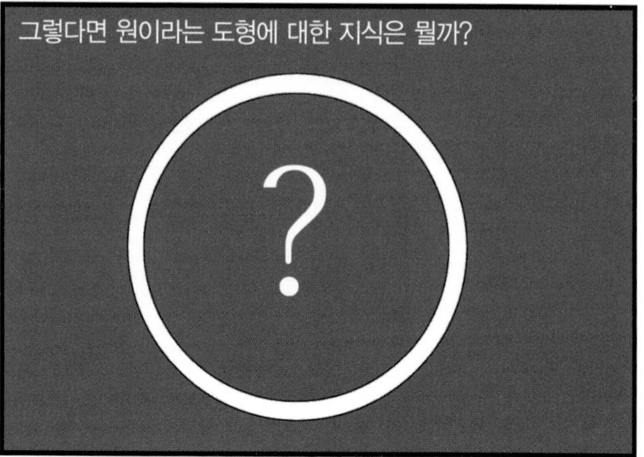

그렇다면 원이라는 도형에 대한 지식은 뭘까?
?

그건 우리가 '원이란 뭐지?'라는 질문을 받았을 때 그에 대한 대답으로 제시할 수 있는 거야.
원이 뭔지 설명해 보게.
아, 그러니까 그게… 둥글게 생긴 도형인데…, 그냥 이렇게 그리면 되는 건데….

이런 대답을 두고 지식이라고 말하지는 않아. 지식이란 다음과 같은 거야.
하나의 점에서 같은 거리에 있는 점들의 집합을 말하는 것입니다.
그렇지, 바로 그거야.

그런데 문제가 되는 대상에 대한 정보를 주기만 하면 그 모든 것이 지식이 되는 것일까?
그 원은 엄청 커요.
급훈
선생님, 선생님께서 그리신 원은 붉은 색이에요.

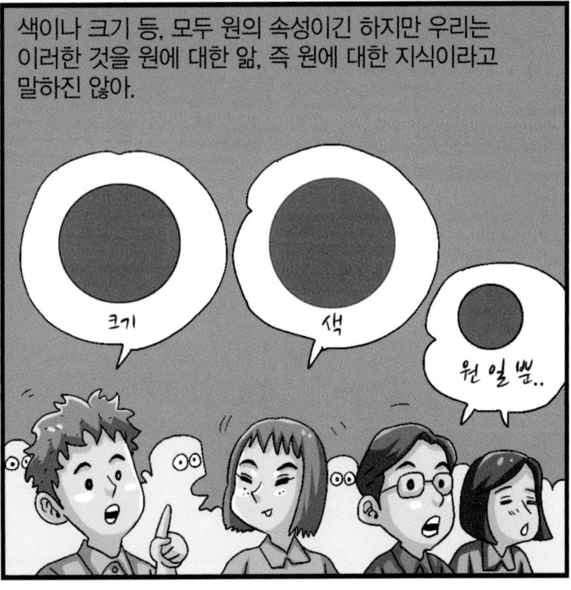
색이나 크기 등, 모두 원의 속성이긴 하지만 우리는 이러한 것을 원에 대한 앎, 즉 원에 대한 지식이라고 말하진 않아.
크기
색
원일 뿐..

그럼 도대체 어떤 것을 지식이라 부를 수 있을까?
?

지식이라 부를 수 있는 건 구체적이고 개별적인 대상 각각의 속성들이 아니라

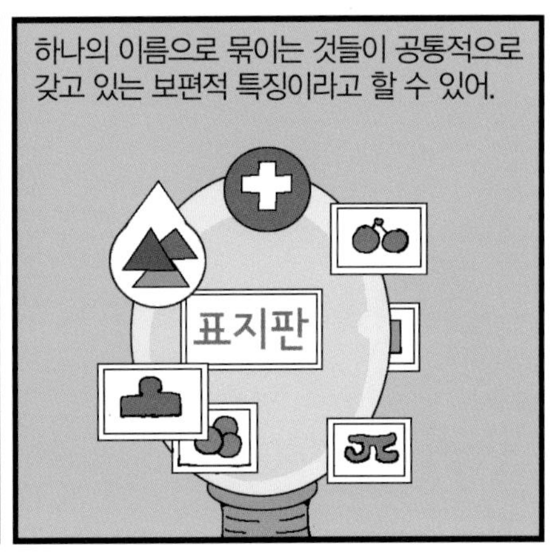
하나의 이름으로 묶이는 것들이 공통적으로 갖고 있는 보편적 특징이라고 할 수 있어.
표지판

우리는 저절로 하나의 대상으로부터 지식을 얻어 낼 순 없어.

푸코는 지식이란 늘 인간의 언어 행위와 깊은 관계를 맺고 있다고 생각했어.

그건 바로 담론(discourse, 談論)이라 불리는 것과 관련이 있지.

담론은 우리 각자가 말하는 것들, 즉 언표(言表, énoncés)들로 구성되어 있어.

우리는 어떻게 말을 하게 되는 걸까?

어떻게 언어를 통해 다른 사람에게 나의 생각을 전달하는 걸까?
왜 말귀를 못 알아들어? 취직 좀 하라고.

사실 우리의 언어는 일정한 체계를 갖고 있어.

만약 우리가 체계를 벗어나 마음대로 말하려고 한다면, 그 어떤 의미도 전해지지 않을 것이고

의사소통 자체가 불가능하게 될 거야.
도대체 무슨 말을 한 거야?

성경의 창세기에 나오는 바벨탑 이야기 알지?
도저히 무슨 말인지 알아들을 수가 없어.
?

바벨탑의 교훈은 신의 권위에 도전하려던 인간이
이것들이..
같이 놀아요.

신의 노여움으로 각각 다른 언어를 사용하게 되면서 의사소통에 어려움을 겪는다는 거야.
웅성.
웅성.
웅성.

그런데 우리가 이 이야기에서 생각해 봐야 할 것은

언어는 모두가 이해할 수 있는 공통 체계를 따른다는 것과
언어

언표들은 하나의 체계를 따라야 한다는 사실이야.

푸코는 대상에 대한 지식(앎) 또한
언표들로 구성된 담론에 바탕을 두고 있다고
설명하고 있어.
언표

하지만 지식이 언어에 바탕을 두고 있다고 해서
지식에 대한 연구가 언어학과 같은 맥락으로
진행돼야 하는 건 아니야.
언
어
학
지식

푸코에게 지식이란 담론적 사건들(événements
discursifs)과 관련되기 때문이지.

따라서 지식의 역사를 연구한다는 건 담론적 사건들을
기술(記述, description)하는 것과 다르지 않아.
촤르륵..
사건
계열

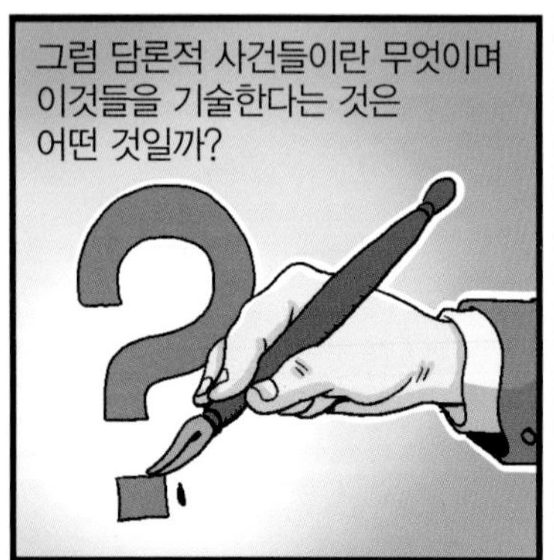
그럼 담론적 사건들이란 무엇이며
이것들을 기술한다는 것은
어떤 것일까?

우리는 앞에서 전통적 역사 연구는
역사의 연속성을 강조하고,
역
사
역

인간의 삶을 단일한 집합적 산물로
파악한다는 것을 배웠어.
집 단

또 오랜 세월에 걸쳐 형성된 거대한 인간 집단의 의식
형태와 정체성을 정립하려는 과정에서
의식

인간 집단의 기억에 개인의 기억을 덧씌우려 했지.
집단
기억
개인
개인
개인
개인
개인
개인

푸코는 이와 반대로 고고학을 사용해서
고고학

역사 발전의 연속성과 일정한 패턴을 발견하는 대신
연
속
성

역사의 단절과 불연속성에 초점을 맞춰 단독적인 사건들로 역사를 기록하려고 했어.
단독

철학과 역사에서 발굴하고자 하는 '심층적 의미'가 모든 사상의 절대적 기반이 아니라
사상집

담론이 만든 일종의 추상적 구성물에 지나지 않음을 입증하려고 했던 거야.
사상집
중얼… 중얼….
재잘… 재잘….

하지만 언표들로 구성된 담론이나 언표에 대한 푸코의 입장 그리고 언어학과는 분명히 차이가 있어.

우선 언어 체계를 대상으로 하는 언어 연구로는 소쉬르(Saussure, 1857~1913)의 구조주의 언어학을 들 수 있어.
언어학

인간의 언어 활동인
랑가주(langage)는
복잡하고 여러 가지
요소가 뒤섞여 있지요.
그래서 나는
이것을 랑그(langue)와
빠롤(parole)로
나누어 보았어요.

랑그란 본질적 · 등질적(等質的) · 사회적인
언어 체계라고 말할 수 있어요.

예를 들어 한국인끼리 한국말로 의사소통이 가능한
것은 구성원 모두가 등질적이고 공통적인 한국어
규칙을 갖고 있기 때문이지요.

이때 랑그를 바탕으로 각각의 구성원이 실행하는
실제적이고 개별적인 언어 행위와 발화된 음성 연속이
빠롤이랍니다.

소쉬르의 언어학은 언표들로 구성되는 랑그(langue)를 연구
대상으로 삼고 있어.
언어학은 개개인의
개별적 언어 행위로서의
빠롤이 아니라
보편적 언어 체계인
랑그를 연구 대상으로
삼아야 해요.

소쉬르의 언어학은 랑그를 탐구하는 것이고,
랑그는 언표가 구성되는 일반적인 법칙을 다루는
것이라 할 수 있어.
언표
언표
언표
언표

하지만 담론적 사건들은 랑그와는 달라. 하나의 담론적 사건은 일정한 시공간에서 하나의 언표가 실제로 나타나고 사용돼.
담
언표
론

그게 뭐가 다르냐고? 우선 질문의 내용이 달라.

랑그를 분석하는 소쉬르의 언어학이 던지는 질문은 '이 언표들은 어떠한 규칙으로 구성되었는가?'에 관한 물음이야.
도대체 이 언표들의 구성 원리는 뭘까?
f
E
R
W
M
Q
Z

또 이와 유사한 다른 언표들도 같은 원리로 구성될까? 그게 아니라면 유사한 다른 언표들은 어떤 규칙에 따라 구성되는 걸까?
EVR
OCQ

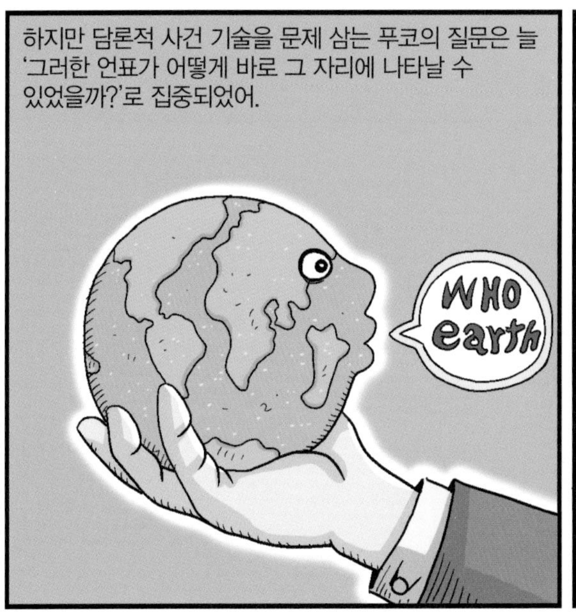
하지만 담론적 사건 기술을 문제 삼는 푸코의 질문은 늘 '그러한 언표가 어떻게 바로 그 자리에 나타날 수 있었을까?'로 집중되었어.
WHO
earth

아니, 도대체, 왜 이 언표는 그 시기, 그 장소에 나타났던 걸까?
필연적인 이유가 있을 거야. 좀 더 조사해 봐야 해.
IX

또 다른 차이도 있어.

랑그를 중요시하는 언어학은 개인의 언어 행위인 빠롤 너머에 있는 의미를 중시해.

TORE

그래서 늘 '말해진 것의 의미'를 찾는 데 집중하지.

너희들의 정체를 밝혀라.
TORE

이와는 달리 담론적 사건을 기술하는 것에 집중하는 푸코의 입장은 담론적 사건이 발생한 상황, 보다 구체적이고 개별적인 상황으로부터 언표를 끌어내려 해.

말하자면 보편적인 의미를 찾아내려는 것이 아니라

그 상황이 가지고 있는 특수하고 구체적인 의미를 발견해 내려는 거야.

그래서 담론적 사건을 분석하려는 입장에서는 늘 이런 질문을 하게 돼.

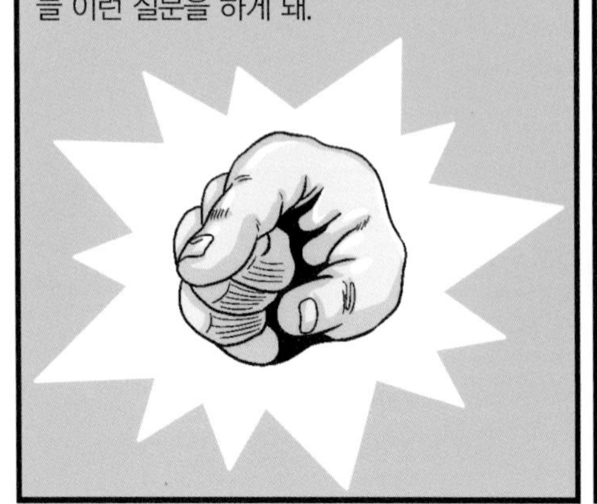

'이야기되고 있는 것 안에서만' 그리고 '바로 그곳에서만' 나타나는 이 개별적인 의미는 과연 무엇일까?

?

이러한 물음에 답하기 위해 푸코는
또다시 불연속의 지점들로
되돌아왔어.
…….

여태까지 모든 역사가 보호해
왔던 것, 즉 과학의 합리성,

시간의 흐름과 함께하는 연속적인
사유의 노동,

의식의 진보,

전체화를 향한 끝없는 운동,

이 모두를 벗어나

한 시대가 또 다른 시대로 나누어지는 지점에 나타나는,

새로운 앎, 바로 그곳으로 우리를 이끈 거야.

지식(앎)을 중심에 놓고 생각해 보면 새로운 지식의 등장은 바로 담론적 사건이 일어나는 표층이며,

지식
사건

담론적 사건이 일어나는 표층을 포착하기 위해 푸코는 고고학적 방법론을 활용하는 거야.

쿠르릉..
고고학

오랫동안 철학과 역사가 밝혀내려 했던 '심층적 의미'를 추구하기보다

?
심층적 의미

이전까지 주목받지 못했던 어떤 특정한 대상이 표면으로 떠올라 그에 대한 의미를 표현하는 특정 언어의 출현, 바로 그 순간을 주목했어.

따라서 푸코는 우리가 '앎' 또는 '지식'이라 부르는 것은 보편적이고 초월적인 의미를 지닌 것이 아니라

NO!

특정 대상에 대해 의미를 갖는 특정한 언어라고 말해.

YOU
나

지식을 중심으로 대상에 대해 이야기하는 것은 언표가 될 것이고,
대상
언표

이 언표가 얘기하는 대상이 지식의 대상이 되는 거야.
지식
언표

그런데 지식의 대상이 등장하는 담론적 사건에는 어떤 것들이 있을까?

푸코는 이를 설명하기 위해 19세기 이후의 정신 병리학을 예로 들었어.

일반적인 예보다 쉬운 분석을 위해 정신 병리학에 집중하길 바랐지.
보다 쉬운 분석을 위해 19세기 이후 정신 병리학을 둘러싼 담론들에만 집중하기로 하겠습니다.
이를 통해 지식의 대상이 어떻게 만들어지는지 잘 알 수 있을 거예요.

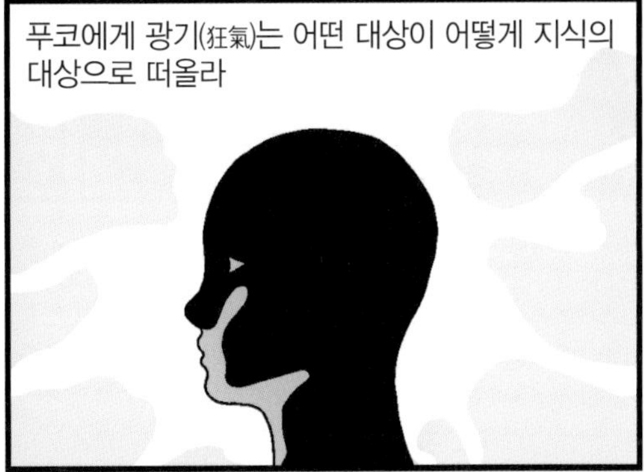
푸코에게 광기(狂氣)는 어떤 대상이 어떻게 지식의 대상으로 떠올라

담론을 형성해 가는지를 보여 주는 아주 좋은 사례야.

말하자면 광기를 보는 시각이 시대에 따라 커다란 차이가 있다는 거야.
과거
현재

고대 그리스 시대의 광기는 창조성과 매우 밀접한 관계를 맺고 있어.
창조적인 일과 관련지어 보면 광기는 신이 주신 것 중 가장 좋은 것이라 할 수 있어요.
플라톤
끄아아아..

하지만 근대에 접어들면서 광기는 인간의 정신병리로서 격리 또는 치료의 대상이 되고 말았어.
살려줘.

그 사이에 어떤 일이 있었던 걸까? 사실 중세와 르네상스 시대 사람들은 인간의 광기는 세계의 비밀스러운 힘과 관련된 것이라 생각했어. 광기의 경험은 타락, 신의 의지, 야수, 변태 등의 이미지로 전해졌을 뿐, 그 이상도 이하도 아니었지.

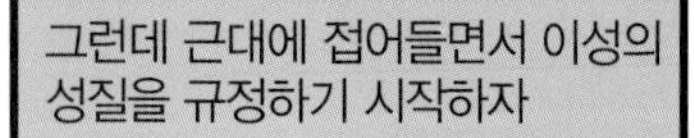

그런데 근대에 접어들면서 이성의 성질을 규정하기 시작하자
인간은 이성적 존재이며, 이성이란 인식 능력과 매우 깊은 관계를 맺고 있지요. 이성이란 참된 것, 즉 진리를 발견할 수 있는 능력이에요.
데카르트

광기는 이성이 아닌 것으로 분류되었어. 비정상의 범주에 속하게 된 거지.
이 자는 인식 능력이 없으니 비정상이오. 감금하시오.
땅땅

그리고 결국 *타자성(otherness)의 하나로 규정되고 말았어.
너는 우리와 완전히 달라. 저리 가. 넌 타자라고~!

* 타자성: 내 인식 이해 혹은 의지의 바깥에 있는 어떤 것.

푸코는 《광기의 역사》에서 고전주의 시대 (17~18세기)에는 *구빈원(救貧院)이 대대적으로 만들어져 세금을 낼 수 없는 사람들을 따로 모아 두었다고 설명하고 있어.

이때 광인들은 부랑자, 빈민, 범죄자와 함께 도덕적으로 옳지 않다는 혐의를 받아 감금되었는데, 이게 최초의 광인 격리 수용이야.

* 구빈원: 가난한 사람들을 보호하고 도와주는 시설.

이 시기에 광기는 인간 안에 존재하는 동물성, 즉 인간성이 아닌 어떤 것(타자성)으로 여겨졌기 때문에 격리 수용의 대상이 되었던 거야.

하지만 18세기 말을 지나 소위 근대로 접어들면서 범죄자들은 자신들이 광인과 함께 갇히는 것이 '이중 처벌'이라고 주장하는 일이 생겼어.

아니, 우리가 죄를 짓긴 했지만 온전한 이성을 가진 인간이라고요. 이제 더 이상은 사람이 아닌 저 미치광이들과 함께 지낼 수 없어요!
옳소~, 저 놈들과 함께 지내라는 건 과도한 처벌이오.
히~이.

그들의 주장이 받아들여지자 이후 광인은 죄인들과 분리되어 정신 병원에 수용됐지.

정신 병원

이때부터 사람들은 광기를 인간의 병리학적 징후로 인식하게 되었던 거야.
크헝!
미친 거구나.

광기를 보는 시각이 달라지는
지점,
과거
크르릉…
현재

광기를 다루는 방식이 달라지는
지점,
키득
키득
분
리

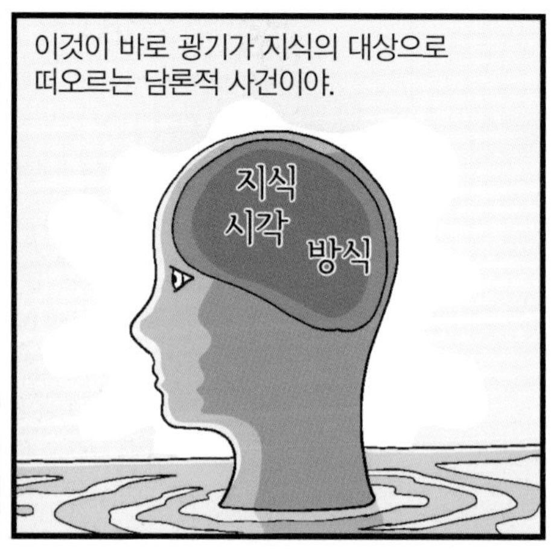
이것이 바로 광기가 지식의 대상으로
떠오르는 담론적 사건이야.
지식
시각
방식

똑같이 광인들을 수용하는 시설이긴 하지만
시대에 따라 다른 성격을 가진 시설에 그들을
수용했다는 사실이 의미하는 건 무엇일까?
병원
중세
근대

다시 말해 고전주의 시대에는 광인들을 사회적 낙오자들의
감금 장소에 수용했고,
친구들이 많네.

근대에 접어들어서는 그들을
정신 병원에 수용했어.
정신 병원

이처럼 사회적 낙오자들의 범죄적 행동으로 분류되던
광기가 근대에 들어 정신 병리학의 대상이 된 까닭은
무엇일까?
광기
말 잘 들으면
사탕 줄게!
신경정신과
네..
줘..
히히,
빨랑
줘!

그건 지식(또는 앎)의 체계가 바뀌었기 때문이야.
빙 글..
구지식
신지식

그렇다면 지식의 체계가 바뀌기 위해서는 어떤 조건이 필요할까?

먼저 지식을 구성하기 위해서는 하나의 대상과 그 대상에 대한 개념이 있어야 해.
대상
개념

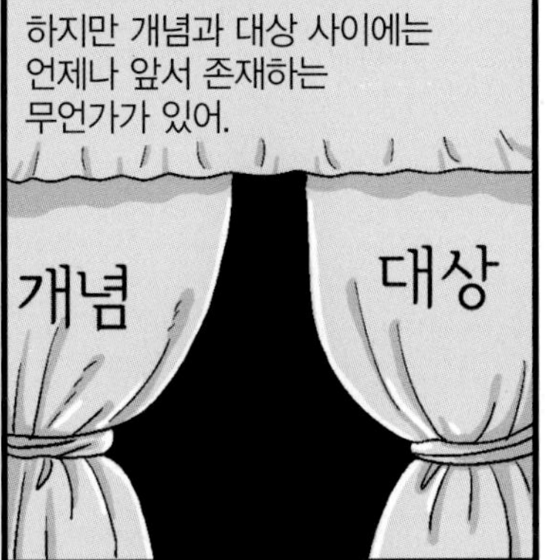
하지만 개념과 대상 사이에는 언제나 앞서 존재하는 무언가가 있어.
개념
대상

그건 바로 담론의 질서야.
담론
질서

광기라는 말과

광기라는 대상은
끄아아..

단순한 일대일 대응 관계가 아니란 뜻이야.
광기

하나의 대상이 지식의 대상, 즉 개념화의 대상으로 떠오르기 위해서는 담론의 질서라는 그물망을 거쳐야 해.
담
론
의
질
서

담론의 질서라는 그물망이란 무엇일까?
담론
담론
담론
담론
담론
담론
담론

푸코는 이 그물망을 셋으로 나누어 설명해.
1
2
3

첫째, 어떤 대상이 떠오르는 표면들(les surfaces d'émergence)을 포착하기.

이 표면들은 사회에 따라

시대에 따라

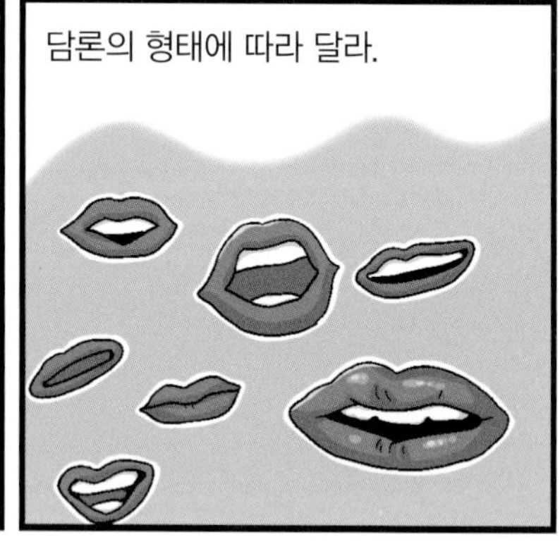
담론의 형태에 따라 달라.

19세기의 정신 병리학에만 한정해 살펴보자면
환자

이 표면들은 가족이나

소속된 사회 집단이나

노동환경,

또는 종교 공동체에 의해
구성되었을 거야.

이를 구성하는 구성원 모두는 규범적이어서 규범에서 벗어나는 것에 민감하고
얘는 정상, 걔도 정상, 나도 정상….

어느 정도의 일탈은 인정하지만 이를 벗어난 자는 배제하는 나름의 기준을 갖고 있어.
엥? 저 녀석 뭔가 좀 이상해.
좀 더 두고 보다 계속 이상하면 다른 사람들에게도 알려야겠어.
히히~

또 그들은 광기를 지시(指示)하거나
쟤 미쳤어요. 저게 바로 미친 거예요.
맞아요. 쟤를 어째?

거부할 줄 알았고
미친 녀석은 따로 격리해야 해요.
쟤 좀 잡아가요~.

광기를 치료하고 설명하는 것에 대한 책임을 의사에게 돌리기도 했어.
광기는 정신병이니까 의사가 맡는 게 맞아.

실제로 광기가 지식의 대상으로 자리 잡게 된 것은 이 때문이었어.
흐음.

특정한 방식으로 구성되긴 했지만 사실 이 표면들은 19세기에 갑작스레 나타난 것들은 아니었어.
맞아. 정상, 비정상을 나누는 기준도, 광기에 사로잡힌 녀석도 아주 오래 전부터 있었다고~.

기존의 표면들을 새롭게 떠오르게 한 것은 바로 19세기라는 시대였어.

이 시기에 광기를 둘러싸고 있었던 것과 광기 사이에 새로운 분리가 진행되었기 때문이지.

예를 들어 예술은 고유한 규범성에 따라 광기와 분리되었고,

성(性)은 정신의학적 담론의 대상으로 자리 잡았으며

형벌은 범죄와 광기를 분리하여 범죄 행위에만 적용되었어.

이렇게 19세기에 들어 광기와 뒤섞여 있던 것들로부터 광기가 분리되자,
예술
성
질환
범죄

정신의학적 담론은 광기를 개념화하려는 노력, 즉 광기에 지식의 대상이라는 지위를 부여해 줄 수 있었던 거야.
광기

두 번째 그물망은 범위를 제한하는 심급들 (instances de délimitation)을 기술하는 거야.

우선 심급이 무엇인지 알아볼까?
이봐~, 감호 기관이 없어진다고 하던데….
그럼 다 감옥에 넣겠지, 뭐.

여기서 심급이란, 어떤 대상이 문제시되기 시작했을 때
미치광이들은 어떻게 해? 걔네들은 범죄를 저지르진 않았는데….
그러네…. 하지만 그 녀석들은 우리랑 다르잖아. 어디엔가 격리시켜야 할 텐데….

그 대상을 담당하는 것이 타당하다고 사회가 인정하는 권위,
그럼 그 미치광이들을 의사들에게 맡겨 보면 어떨까?
그렇군. 그 녀석들은 정신이 아픈 걸 테니까.

또는 그러한 권위가 구현되는 현실적 제도들을 의미해.
그 녀석들을 병원에 감금해 놓으면 의사들이 정상으로 고쳐 주겠지?
적어도 그 병에 대해 연구하고 우리에게 설명해 줄 수는 있지 않을까?

19세기에 이르러 의학은 광기를 하나의 대상으로 판정하고 지식의 대상으로 수립하는 주된 심급이 되었어.

물론 의학이 광기를 다루는 유일한 심급은 아니었어.
이히히, 간지러워!

형법이나 종교적 권위, 문학비평이나 예술비평도 또 다른 심급들로 작용했지.

세 번째 그물망은 무언가를 명확하게 만드는 격자 틀(grilles de spécification)에 대해 기술하기야. 명확하게 만드는 격자 틀이란 일종의 시스템을 말해.

이 시스템을 따라 우리는 정신의학적 담론의 대상이 되는 서로 다른 광기들을 분리하고
치매랑 분열증, 편집증은 다른 건가?
다르면 어떻게 다른 거지?

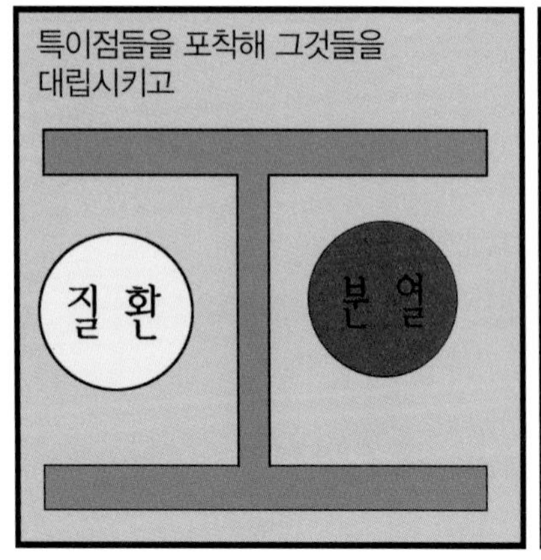
특이점들을 포착해 그것들을 대립시키고
질환
분열

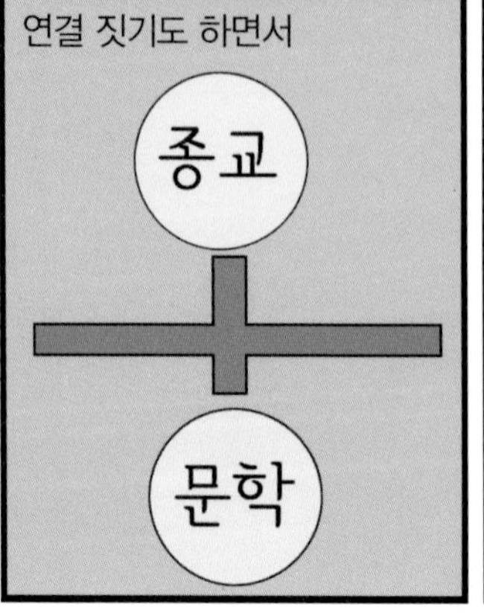
연결 짓기도 하면서
종교
문학

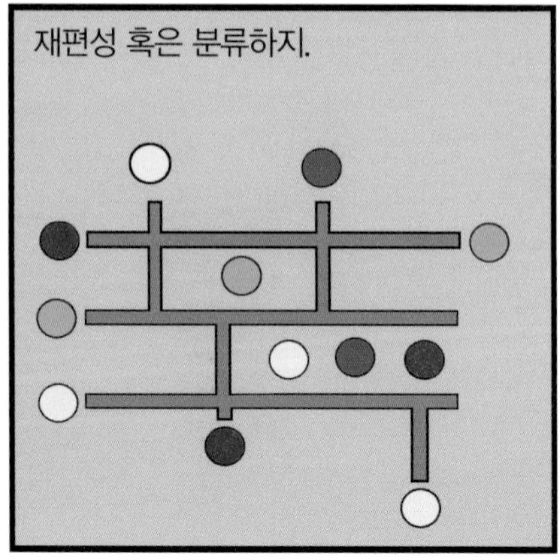
재편성 혹은 분류하지.

하지만 이 세 개의 그물망만으로
광기를 둘러싼 담론 형성을
설명하기에는 부족해.
표면
심급
격자 틀

19세기 광기를 둘러싼 정신 병리학의 담론들은 개인적인 차원에서 행해진
새로운 발견에 의존한 것도 아니고
아아~, 드디어 이 범죄자의 범죄 행위와 병리학적 행동 사이의 유사성을 밝혀냈어!
그건 그 범죄자의 경우에만 해당되는 거거든…. 일반화시키지 말아 줘~.

단순히 사회적 환경의 영향을 받는다고도 말할 수 없어.
미치광이들이 판치는 건 느슨해진 부르주아들의 윤리관 때문이야.
경찰들이 제 할 일을 안 해서 그런 거야.
그게 다가 아니라고~.
그럼 우리는 이 세 개의 그물망을 가지고
무엇을 해야 하는 것일까?

푸코는 지금까지 우리가 살펴본 세 개의 그물망들이 어떻게
관계 맺는지를 봐야 한다고 말해.

어떤 대상이 떠오르는 표면들

범위를 제한하는 심급들

명확하게 하는 격자 틀

이제 이것들이 관계 맺는 규칙에 대해
살펴볼까?

6장

지식은 어떻게 만들어질까? ②

주체와의 관계를 중심으로

대상
대상
대상
상

우리는 광기가 어떻게 해서 앎의 대상이 되는지 살펴보았어.
광기의 역사

광기를 앎의 대상으로 만드는 데 담론도 일정 역할을 해.
담
론

담론이란 특정 대상에 대한 지식을 만들어 내는 말의 집합이야.
대상
담
론
지식

특정 대상을 설명하는 언표들의 집합체와도 같지.
언표
U Q H E D K U B E M

언표들이 응집하기 위해서는 규칙을 따라야만 해.
규칙
ELTYP
RKGOX

규칙은 환경에 따라 변화하기 마련이야.
규칙

언표와 규칙의 집합체인 담론은 시간의 흐름과 물리적 조건에 따라 변화할 수밖에 없어.

어떤 개인이 말을 할 때, 그 사람은 언표와 규칙의 변화를 모두 고려한 후에 말을 하는 것일까?

아닐 거야. 우리는 인식이나 사유 활동을 하기 전에 먼저 언어 규칙을 습득하게 되거든.

안 돼요, 안 돼.
아… 앙데.
앙데…, 앙데….
어머, 우리 아가가 '안 돼'라는 말도 하네.

이 사실에 주목한 푸코는 담론이란 개인과 개인 사이의 의견 교환에 의해 규정되는 것이 아니라고 주장했어.
…….
…….

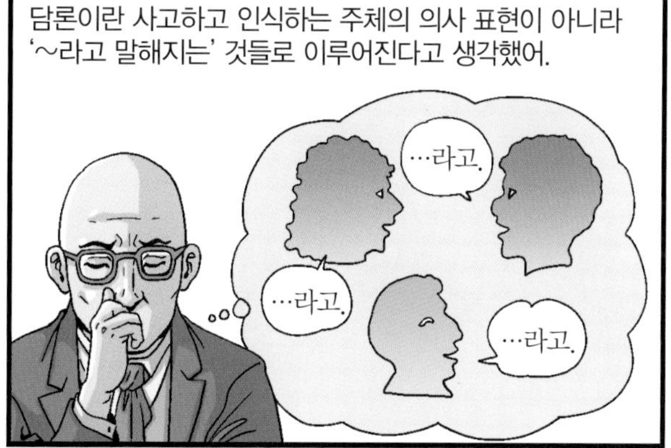
담론이란 사고하고 인식하는 주체의 의사 표현이 아니라 '~라고 말해지는' 것들로 이루어진다고 생각했어.
…라고.
…라고.
…라고.

자 그럼, 질문을 다시 정리해 보자.

지금 우리가 궁금한 것은 '하나의 대상을 지식으로 만들어 주는 언표 행위를 하는 자(者)는 어떤 성격을 갖는가?'야.
내 성격이 궁금해?

앎에 대해 말하는 사람은 철학에서 말하는 주체(subject/sujet)일까?
주 체

우리는 일반적으로 주체란 완전히 독립적이고 자기 결정권을 갖는 특수한 존재라 생각해.
의사
결정

안녕?
이런 생각은 어디에서 나온 것일까? 인간을 인식의 주체라고 주장한 데카르트(Descartes, 1596~1650)한테서 나왔다고 말할 수 있어.

데카르트는 우리의 정신 안에 관념이 존재한다고 믿었어.
관념
틀림없이 있어.

그 관념이 외부의 사물과 닮았든 닮지 않았든, 또는 그런 관념에 대응하는 외부의 사물이 존재하든 존재하지 않든 우리 정신 안에 관념이 존재한다는 사실만은 의심의 여지가 없다고 주장했어.

데카르트는 '자신의 이성을 정확하게 끌어내어 모든 학문에서 진리를 탐구하는 방법'을 연구했어.
절대적으로 확실한 인식에 도달하려면 어떻게 해야 하는 걸까?

데카르트의 사유는 '방법적 회의'에서 시작되었어.
방법적 회

진리 탐구에 있어 명확한 기반을 다지기 위해서는 의심해 볼 수 있는 모든 것을 의심해야 해.

이것을 '방법적 회의'라 부르자. 진리 탐구는 바로 여기서 시작되는 거야.

감각은 때로 틀리기도 하니까 도대체 믿을 수가 없어. 내가 지금 여기서 윗도리를 입고 화롯가에 앉아 있는 것이 꿈이 아니라는 절대적인 보증이 없으니 신뢰할 수 없지.

세상의 모든 사물의 존재가 의심스럽구나! 일단은 모든 것을 의심해야겠지?

하지만 이렇게 의심하고 있는 나 자신의 존재만은 의심할 수 없어.
암, 그렇고말고!

이를 통해 데카르트는 '나는 생각한다. 따라서 나는 존재한다. (cogito ergo sum)'라는 근본 원리를 이끌어 냈어.

흐음~, 이 원리를 잘 따르기만 하면
우리는 진리를 인식할 수 있을 거야.

하지만 의심하고 있는 내가 어떻게 완전한 존재인 진리를
인식할 수 있을까?
진리
흠!

의심하고 있는 나는
사실 불완전한 존재지.
이처럼 불완전한 존재로부터
완전한 존재자의 관념이
생겨나는 것은 아니야.

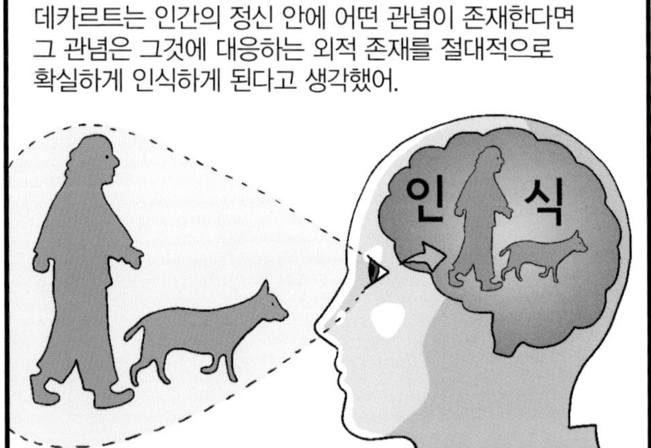
데카르트는 인간의 정신 안에 어떤 관념이 존재한다면
그 관념은 그것에 대응하는 외적 존재를 절대적으로
확실하게 인식하게 된다고 생각했어.
인
식

어떻게 그럴 수가 있느냐고?

내 속에 있는
관념은 완전한
존재자, 즉
신에게서 왔기
때문이야.

물론 데카르트는 모든 대상에 대해 확실한 인식을
얻을 수 있다고 생각하지는 않았어.

우리를 마음껏 속이고 농락하는
악마가 존재한다면, 그동안
절대적으로 확실한 인식이라고
여겨 왔던 모든 것들이 거짓처럼
느껴질 수도 있을 거야.

따라서 우리가 진리를 발견하고자 한다면, 우선 악마란 없으며 완전한 존재인 신이 존재한다는 것을 밝혀야 해.

데카르트는 적어도 확실한 인식이나 확실한 인식을 얻어낼 수 있는 대상이 존재한다는 사실에 대해서는 의심하지 않았어.
대상

신에 대해서 한번 생각해 봐.
우리가 외적 대상으로서의 신을 감각적으로 느낄 수는 없지만 신에 대한 관념을 갖고 있는 한 우린 신을 인식할 수 있어.

완전한 존재자인 신은 본성이 성실하여 인간을 속이는 일은 없을 거야.

그런 신에게서 관념을 이어받은 우리가 이를 제대로 인식한다면 사물은 우리가 인식한 대로 존재하는 것이 옳다고 할 수 있지.

또한 데카르트는 인간이 확실한 인식에 도달하는 능력을 가지고 있다는 사실에 대해서도 의심하지 않았어.
나는 사각형을 인식했고 설명할 수도 있어.

나는 이러한 능력을 양식(bon sens), 이성(la raison) 또는 자연의 빛(luminiere naturelle)이라 부르겠어.

그러나 데카르트도 인간이 확실한 인식에 도달하지 못하거나 오류에 빠질 수도 있을 거라 생각했어.

산업 용수

하지만 이런 불행한 사태는 절대적으로 확실한 인식이 존재하지 않는다거나 이를 인식할 수 있는 능력이 인간에게 결여되어 있기 때문이 아니라 이성을 올바로 사용하지 않기 때문에 일어나는 거야.

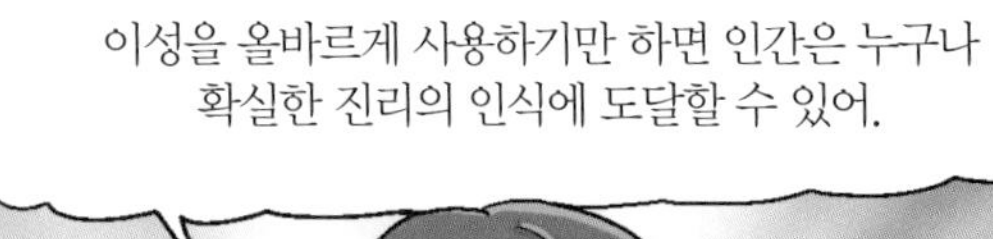
이성을 올바르게 사용하기만 하면 인간은 누구나 확실한 진리의 인식에 도달할 수 있어.

그래서 나는 이성 사용을 인도하는 규칙을 마련하고 이것을 '진리를 인식하는 방법'이라고 부를 거야.
진리 인식

푸코는 어떻게 생각했을까? 푸코도 데카르트처럼 앎이란 대상에 대한 관념을 가진, 단일하고 통일된 주체가 형성하는 것이라고 여겼을까?

…….

아니야. 푸코는 데카르트와 생각이 달랐어.

그건 아닌 듯.
욱-!

푸코는 데카르트의 '지식이란 신이 주신 이성을 사용하여 어떤 대상에 대한 관념을 갖는 주체가 형성하는 것'이라는 생각에 반대했어.
이성
아냐?
대상
주체

푸코에게 주체란 '제도가 구성하는 어떤 것'일 뿐이었지.
내가 박사야?
박사.
박사.
제
주체
도

푸코의 생각이 옳다면 제도가 만든 주체는 어떻게 관념, 즉 앎을 가지게 될까?
내가 아는 게 많긴 하지.

예를 들어 생각해 보자. 요즘 우리는 TV에서 건강에 대한 프로그램을 자주 봐. 건강 먹거리는 물론 질병 치료에 이르기까지 내용도 매우 다양하지.
JTBS

이때 건강 프로그램에서 건강에 대한 정보를 주는 사람은 누구일까?

대부분 경험이 많은 의사나 유명 의과대학의 교수들이야.

왜 이 사람들의 언표는 건강 정보로서 가치를 갖는 것일까?
몸에 좋은 음식은…?

이 사람들의 언표는 어떻게 해서 권위를 갖게 되는 것일까?

건강

이 사람들만이 '대상에 대한 관념을 가진 인식 주체들'이기 때문일까?

푸코는 지식이 만들어지는 과정에서 주체가 어떤 역할을 담당하고 있는지를 살펴보기 위해서는 생각을 달리해야 한다고 주장했어.

첫째, '누가 말하는가?'가 아니라 '어디에서 말하는가?'라고 질문해야 한다고 했어.

어떤 특정한 언표를 말할 수 있는 권리를 가진 사람들의 지위에 대해 살펴보자는 거지.

예를 들어 의사의 지위는 사회와의 관계 속에서 형성돼. 사회는 의사에게 일정한 능력과 지식을 요구하지.

열심히 공부하고 경험을 쌓아야지?

우리 모두의 건강을 책임져야 하니까.

그리고 사회는 의사에게 제도와 체계를 따르도록 해.

근데 말이지…, 하고 싶은 연구가 있다고 해서 다 할 수 있는 건 아니야. 법이나 관례, 특히 종교적 관례가 금지하는 부분은 좀 조심해 줘야겠어.

사회는 의사에게 지식의 실험과 실천을 수행할 권리뿐만 아니라 그 권리를 제한하는 법적 조건들도 받아들이라고 강요해.
그 부분만 조심해 준다면 나머지 부분은 다 보장해 주지~.
그러니까 여기 사인만 하면 돼~.

이러한 사회적 요구를 받아들이는 의사는 사회가 그에게 부여하는 권리를 행사할 수 있어.

참, 골치가 아프군…. 의사가 그냥 환자만 잘 보면 되지, 왜 정치권력의 눈치를 봐야 하고 종교계와 사회단체들의 요구를 고려해야 하는 거야?
이봐, 말조심해. 우리는 사회 전체와 관계를 맺고 있어. 우리는 건강지킴이일 뿐 아니라 사회가 우리에게 요구하는 역할도 수행해야 하는 거야.

우리는 그 대가로 사회로부터 존경과 부를 약속받는 것이고…. 사람 참, 하나만 알고 둘은 몰라!

의사란 의학적 언표인 동시에 그것을 말할 권리가 법적으로 보장되는 인물인 거야.

법

의사가 갖는 이러한 지위는 거의 모든 사회에서 유사해.

의사

이처럼 우리는 주체가 어떤 상황에 있는지 알면 주체가 하나의 대상을 왜 그러한 방식으로 언표했는지 알 수 있는 거야.

대상

언표

건강에 좋은 과일.

의사의 지위는 산업화가 진행되던 18~19세기 초, 대중들의 건강이 산업화가 요구하는 경제적 규범들 중 하나가 되었을 때 자리 잡게 되었어.
산업화가 잘 진행되려면 건강한 노동력이 충분해야 하는데, 요즘은 노동자들이 영 빌빌거려서 생산성이 떨어져.
그쪽도 그래? 우리도 죽겠어….

그럼 노동자들을 건강한 상태로 유지시켜 줄 전문가를 찾아내서 잘 대우해 주는 게 어떨까?
오, 좋은 생각! 하지만 그들을 통제할 수 있는 조항들도 생각해야 하는 거 알지?

둘째, 푸코는 언표들이 나타나서 합법적인 지위를 얻게 되는 장소들에 대해 생각해 봐야 한다고 주장했어.

서구의 경우를 보면 의학적 언표들이 합법화되는 장소로 우선 병원을 들 수 있을 거야.
이곳은 일정하게 체계화되어 있고 의학에 종사하는 전문인들로 조직화된 공간이지요. 여기에서의 언표는 합법적일 수밖에 없어요.

다음으로는 개인적인 실천의 영역이 있을 거야.
난 지금 흔하지도 않고 우연적으로만 발생하는 질병에 대해 연구하고 있어. 지금 당장은 의미가 없을지 모르지만 훗날 내 연구가 큰 도움이 될 거야.

또한 오랫동안 병원과 구별되어 왔던 자율적 공간인 의학 실험실을 들 수 있겠지.
우리의 연구는 질병 진단에 도움을 주기도 하고 질병을 치료하는 데 필요한 기준들을 제공하기도 한답니다.

마지막으로 우리가 도서관이라 부르는 장소, 즉 자료를 보관하는 장소를 들 수 있어.
저희 도서관에는 오래 전부터 내려오는 책과 논문들뿐만 아니라 질병과 관련된 모든 통계학적 정보들이 있습니다. 이 자료들은 의사들은 물론 사회학자나 지리학자에게도 유용한 정보가 되지요.

19세기에 들어 의학적 언표가 나타나면서 합법적인 장소들에도 커다란 변화가 있었어.

이 시기에는 병원이라는 기관이 병을 다루고 관장하는 장소로 인정받았지.
어서 오세요….

또한 의학 실험실도 생물학이나 화학 실험실처럼 규범을 가진 언표의 장소로 승인받았단다.

셋째, 푸코는 주체가 처해 있는 상황을
고려해야 한다고 했어.

다시 말하자면 앎을 구성하는 주체가 전혀 흔들리지 않는 중심을 가진
어떤 사람은 아니라는 거야.
코기토(cogito)로서의 주체는 의심의 여지가 없어. 그렇기 때문에 대상에 대한 관념 또한 틀림이 없는 거야.
정말 그렇게 생각하시나요?

주체 또한 다양한 주변 요소들이 만든 상황의
영향을 받을 수밖에 없다는 거지.

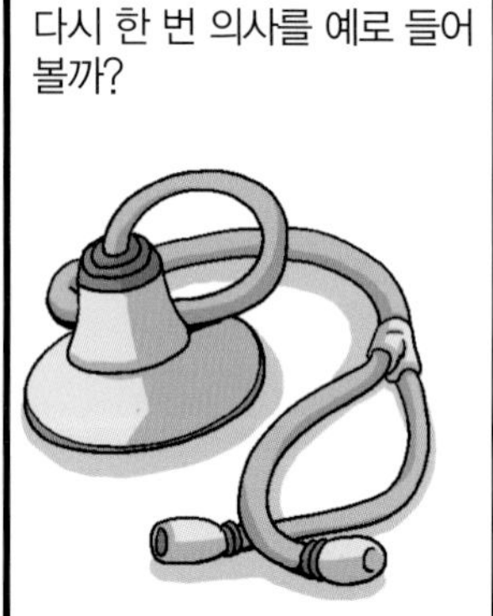
다시 한 번 의사를 예로 들어
볼까?

이들은 우선 지각적 수준의 영향을
받게 돼.

의사들은 명시적이든 아니든간에 이미 짜인 틀 안에서
사고를 해.
신이시여, 이 환자의 질병을 거두어 주시옵소서!
앗, 새로운 바이러스의 출현이다. 연구해 봐야지.

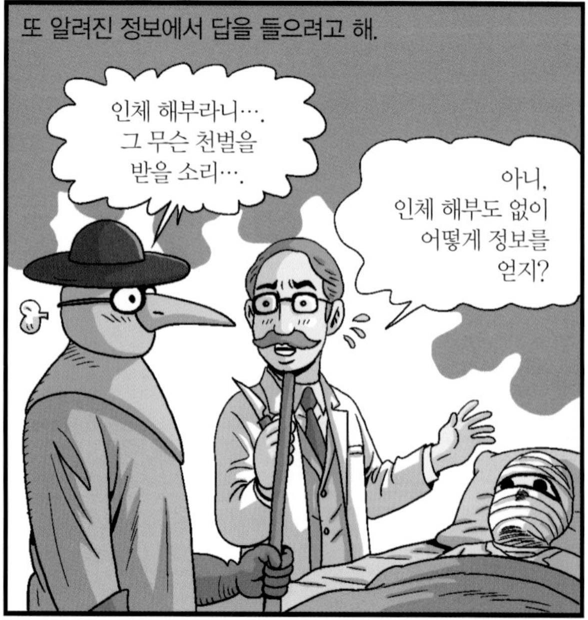
또 알려진 정보에서 답을 들으려고 해.
인체 해부라니…. 그 무슨 천벌을 받을 소리….
아니, 인체 해부도 없이 어떻게 정보를 얻지?

이처럼 의사는 정해진 틀 안에서 표층적인 수준에서
우선 징후부터 잘 살펴봐야 진단을 할 수 있어.
두리번...
두리번.

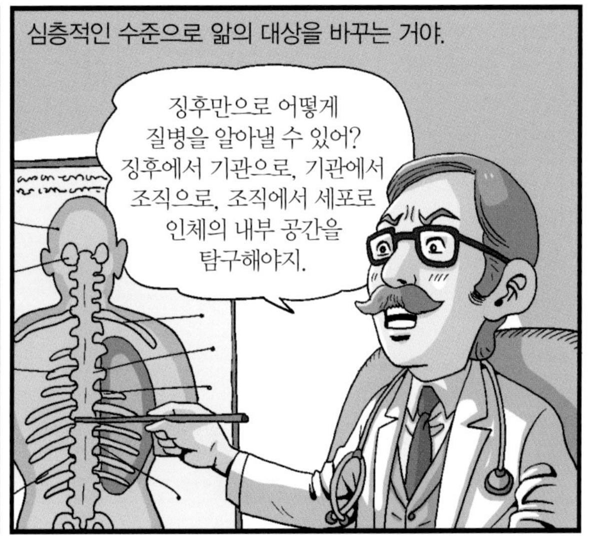
심층적인 수준으로 앎의 대상을 바꾸는 거야.
징후만으로 어떻게 질병을 알아낼 수 있어? 징후에서 기관으로, 기관에서 조직으로, 조직에서 세포로 인체의 내부 공간을 탐구해야지.

또한 우리는 지각적 수준의 영향과 함께 정보 네트워크 속에서 주체가 처한 상황을 고려해야 해.
으아~, 학교 교육에 병원에서의 실습 교육, 거기에다 세미나, 보고서, 통계 자료, 새로운 이론들을 익히는 것도 힘든데 논문도 쓰래….

19세기 초에는 의학적 언표를 만들어 내는 주체들의 상황에 많은 변화가 있었어.

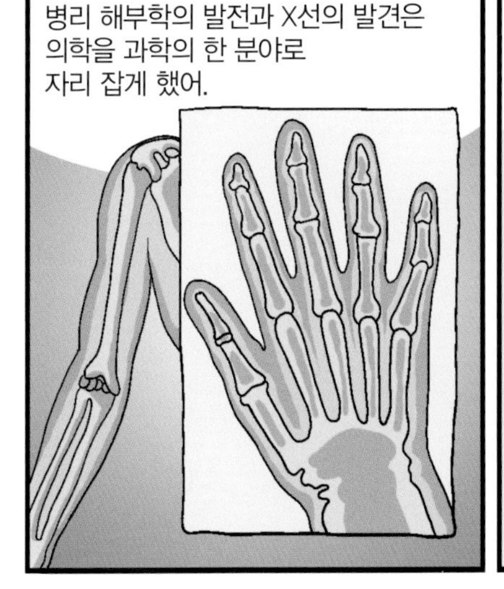
병리 해부학의 발전과 X선의 발견은 의학을 과학의 한 분야로 자리 잡게 했어.

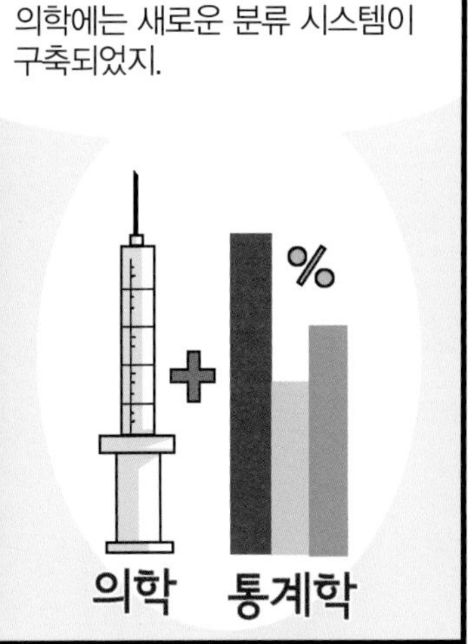
의학과 통계학의 통합으로 의학에는 새로운 분류 시스템이 구축되었지.
%
의학
통계학

또 다른 과학 영역이나 의학의 관계를 고려한 여러 제도들이 정립되기도 했어.

의사는 임상의학적 담론 속에서 최고의 권한을 갖고 직접 문제를 제기하는 자가 되었고,
권위

또한 대상을 바라보는 눈인 동시에 만지는 손가락이며, 기호들을 해독하는 기관(器官)이 되었어.

그리고 기존의 기술(記述)들이 통합되는 지점이 되었지.

의사가 실험실의 기술자(技術者)라는 역할을 수행하는 것은 의사를 둘러싼 일련의 관계들이 서로 영향을 주고받기 때문이야.

의사는 치료자 · 교육자 · 정보제공자 등, 여러 역할을 동시에 수행하고 있어.
바쁘다.. 바빠바!
교육
치료
제공

병원은 도움을 주는 장소인 동시에 순수하고 체계적인 관찰의 장소이며, 부분적으로는 치료의 장소야.
병원

결국 의사라는 의학적 언표 행위의
주체가 보여 주는 언표 행위의
다양함은

건강
지식
음식

종합적이고 통일된 기능을
수행하는 하나의 단일한
주체로서가 아니라

그 주체가 얼마나 분산되어 있는지를
보여 주는 사례라 할 수 있어.

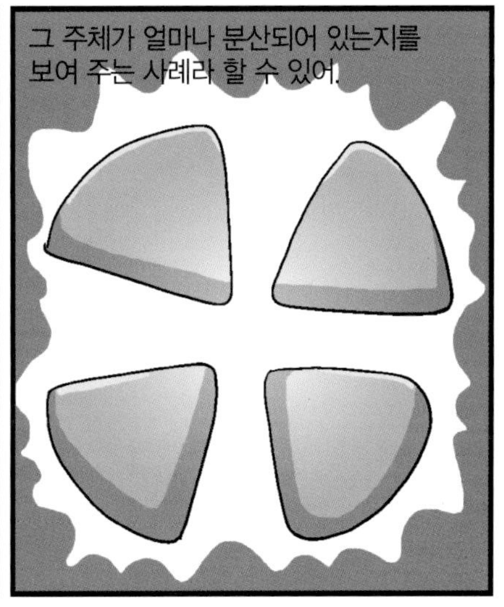

이를 보면 언표를 실행하는 주체는
통일된 주체가 아니야.

그 주체는 그가 차지하는 지위와 장소에 따라 통일되지도 연속적이지도 않은
방식으로 언표 행위를 하고 있는 거야.

지금 난 어떤 입장에서 무슨 말을 해야 하는 거지? 환자를 치료하는 입장에서? 학생을 가르치는 선생의 입장에서?
진리를 추구하는 연구자의 입장에서? 국가적인 혼란을 피하는 데 협력하는 공적인 입장에서?

이런 이유로 푸코는 언표란
사유하는 주체를 드러내는 것도
아니고,

사유

인식하는 주체를 드러내는 것도
아니며, 언표를 말하는 주체를
드러내는 것도 아니라고
주장하는 거야.

인식
주체

푸코는 담론 속에서 표현적 현상을
보는 것에 반대한 거지.

반대

당시 대부분의 사람들은 표현이란, 주체의 내면에서 만들어진 의미를 밖으로 드러내 보이는 것이라고 생각했어.

이러한 생각은 언표가 주체를 드러내는 것이 아니라고 주장하는 푸코의 입장과는 반대였지.

주체는 종합될 수 없어요. 그가 처한 상황, 그가 점유하는 장소에 따라 늘 다른 언표를 실행하고, 그 다양한 언표들은 하나의 목표 아래 수렴될 수 없다는 점이 그걸 분명히 보여 주고 있지요.

따라서 통일된 주체가 자신의 의도에 따라 언표를 행사하고 그것이 드러난 것이 표현이라 보는 점에는 동의할 수 없어요.

그건 단지 고전 철학의 반복일 뿐이에요.

이런 입장에서 보자면, 담론이란 분산된 주체와 그 주체가 지닌 불연속성을 설명할 수 있는 하나의 집합이야.

즉 서로 다른 곳에 위치한 주체라는 조직이 전개되는 외부 조건들의 공간이지.

주체
담
론

흐음~. 오늘은 방송에
출연해야 하니 공공의 건강을
책임지는 입장에서 이야기를
해야겠군.
톡..톡..

하지만 내일 학회에서는
새로운 이론을 잘 설명해야
할 텐데….
매일 다른 목적으로
다른 말을 해야 하니,
이것 참 정신이 없군.
주섬….
주섬….

우리는 앞 장에서 어떤 대상에 대한 담론을 형성하는 데
'말'이나 '대상'만으로는 충분하지 않다는 것을 배웠어.
환자..
정신병자..
거지..
노숙자..

대상을 둘러싼 주체의 언표행위의 규범을 밝히는
것도 마찬가지야.

이를 위해 초월론적 주체(sujet transcendental)에 의지하는 건
별 도움이 되지 않아.
주체의 언표 행위가 별거예요?
모든 것이 내 관념 속에 있다는
데카르트의 설명을 따르면 되죠.
땡~,
아니에요.

결론적으로 푸코의 생각은 여러 장소와 상황에
얽매일 수밖에 없는 존재인 주체는 더 이상
초월적인 존재가 아니란 거지.

7장

개념은 어떻게 만들어질까?

앎이 만들어지기 위해서는 우선 변화하는 앎의 체계 속에서 어떤 대상이 표면 위로 떠올라야 해.

그리고 담론의 대상이 되어야 해.

그 다음엔 사회로부터 특정한 지위와 권한을 부여받은 누군가가 그 대상에 대한 정보를 언표의 형태로 우리에게 줘야 하지.
철학자

그때 비로소 우리는 문제가 되는 그 대상에 대한 개념을 만들어 낼 수 있는 거야.
철학자다.

한편 앎이란 개념들로 이루어져 있어.
개념
개념
개념
개념
개념
개념
앎

개념들의 집합이라 할 수 있지.

그럼 개념은 어떻게 만들어질까?
개념

개념, 즉 '하나의 대상에 대한 언표'는 그냥 이루어지는 것이 아니야.
언표

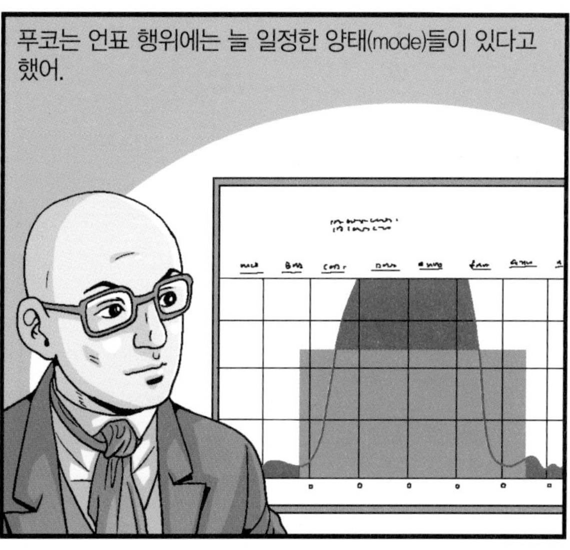
푸코는 언표 행위에는 늘 일정한 양태(mode)들이 있다고 했어.

더불어 나름의 규칙이 존재한다고 했지.
언 표
규칙
대상
대상
대상

이제부터 우리는 개념이 만들어지기 위해 작동하는 규칙에 대해 살펴볼 거야.

먼저 개념(槪念, Concept)이 무엇인지
알아보자.

사전을 찾아보면 개념이란
'한 무리의 개개(個個)의
것에서 공통적인
성질을 빼내어
새로 만든
관념(觀念)'이라고
되어 있어.
사전

예를 들어 부모나 형제 또는 친구 등 나를 둘러싸고
있는 사람들과 나의 공통점은 모두 인간이라는 거야.

이처럼 인간이라는 공통적인 성질에 대한 관념이
만들어졌을 때, 우리는 이 관념을 (인간을 설명하는)
개념이라고 부르는 거야.
인간
개념

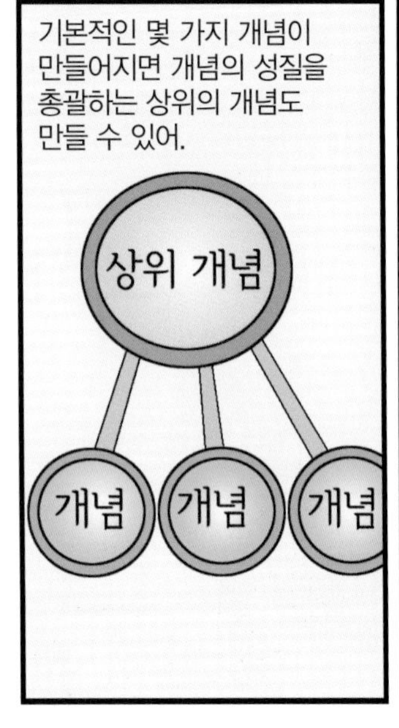
기본적인 몇 가지 개념이
만들어지면 개념의 성질을
총괄하는 상위의 개념도
만들 수 있어.
상위 개념
개념
개념
개념

가령 개 · 고양이 · 새 · 물고기 · 벌레
등의 기본 개념에서 동물이라는
상위 개념을 만들 수 있고,
동물

동물 · 식물의 개념으로부터 생물이라는
상위 개념을 만들 수 있게 되는 거야.
생물
식물
동물

물론 우리는 일상적으로 개념이라는 용어를 사용하기도 해.

…….
…….

어떤 사람이 문제가 되고 있는 사항에 관해 그것이 어떤 것인지 짐작하는 경우에,

내가 아프리카에 갔었는데….

우리는 그 사람이 그 사항에 대한 개념을 가지고 있다고 말하지.

날씨가 엄청 더워.
오, 그래.

예를 들어 비행기를 타 본 적이 있는 사람, 비행기를 본 적이 있는 사람, 비행기에 관한 설명을 읽어서 어느 정도 이해한 적이 있는 사람은 비행기에 관한 개념을 가지고 있다고 할 수 있을 거야.

직접 타 봤는데….
본 적이 있어.
책에서 읽었어.

이런 경우 개념이란 지식과 거의 같은 뜻으로 쓰였다고 말할 수 있어.

비행기는 바람을 이용해서….

이렇게 볼 때 개념이란 사물 또는 앎의 과정에서 나타나는 본질적 특징들을 반영하는 사고 형식을 일컫는 말이라고 할 수 있어.

개는 멍멍….
오리는 꽥꽥.
꽥꽥
멍멍
야옹야옹
고양이는 야옹야옹….
각자 특징들이 다 있네.

철학자들은 개념이 인간의
사고 활동의 기본적 단위라고
주장해.

인간은 개념을 사용해 사물의 본질적 특징들을 포착하기 때문이야.
이건 개, 이건
고양이, 이건 새,
이건 물고기야.

철학자들은 인간이 사회를 이루고 살면서부터 생산 활동뿐만 아니라 계급 사회에서의
계급 투쟁을 통해 사물과 과정에 대해 개념을 형성해 왔다고 말해.
너는 지배자.
너는 지배자, 그러니까
힘이 세고… 나빠.
지배하는 인간
= 나쁜 인간!

인간은 일반적인 사물에 대해 생각할 수 있어.
하지만 좀 더 큰 틀에서
보면 이것들은 모두
동물이라 할 수 있지.

또 법칙을 발견할 수도 있어.
동물이란 건 유기물을
영양분으로 섭취하며,
소화나 배설, 호흡기관이
분화되어 있다는 공통적인
특징을 갖고 있지.

개념은 언어와 함께 생겨나 언어로 표현돼.
이런 내용을
사람들에게 널리
알리려면 언어로
나타낼 수밖에
없지. 빨리 언어로
나타내 보자.

언어로 표현된 개념이 바로 '용어'야.
인간

용어는 문법의 요소인 명사 또는 단어로 이루어져.
용어
명사
단어

또한 용어는 주어와 서술어로서 명제의 구성요소가 되기도 해.
용어
주어
서술어
명제

개념은 늘 판단의 문제와 결부되어 있어.
개념

명제는 사물이나 앎의 과정, 사회적 실천이 맺은 관계를 반영하기 때문이야.
개는….
명제

명제는 사회적 실천 가운데 널리 쓰이는 판단을 전제로 형성된다고 봐야 해.
동물이다.

개념은 사물이나 앎의 과정이 사고 속에서 구성요소로 나뉘어 형성돼.
대상은 그것의 부분이나 요소로 분해해 잘 살펴봐야 합니다.

처음에 대상은 막연한 전체로 주어집니다.

대상의 분석을 통해 여러 가지 측면과 요소를 추출해 내면
그것들의 상호관계를 파악할 수 있게 됩니다.
생물
동물
식물

그런 다음 본질적 특징들과 비본질적 특징들을 구별해야 해.
사물의 여러 성질 중 어느 특정한 성질이나 측면을 뽑아내어 파악할 수 있어야 합니다.

그 과정을 우리는 추상이라 부릅니다.
사물
추 상

본질적 특징 이외의 측면과 성질들을 잘라 내 버릴 수 있어야 합니다.
사물
추 상
본질적 특징

이 같은 본질적 특징들이 개괄되는 과정을 거쳐야 비로소 개념이 만들어지는 거야.
사물
추 상
본질적 특징
앞서 실행했던 추상에 의해 본질적 특징이라는 하나의 기준이 마련되었습니다.

이제 공통으로 이 본질적 특징을 갖는 여러 사물들을 같은 종류의 사물 그룹으로 통합해야 합니다.
공
축구공
볼링공
골프공
농구공
야구공

이를 가리켜 하나의 개념 밑으로 통합한다고 말하는 겁니다.
공의 개념
축구공
볼링공
골프공
농구공
야구공

이러한 개념 형성 과정은 '동물'과 같은 단순한 개념뿐만 아니라,
동물

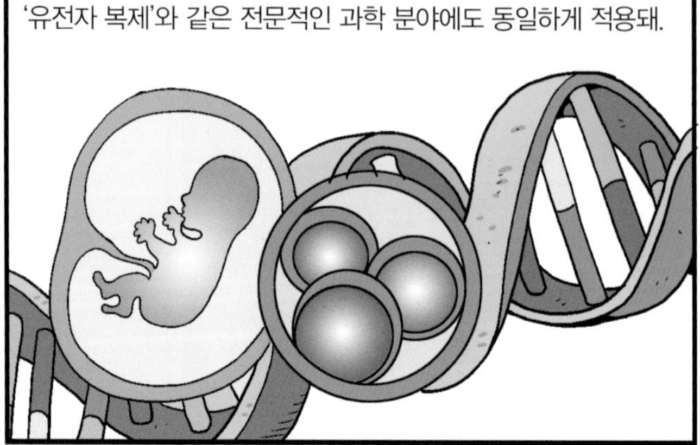
'유전자 복제'와 같은 전문적인 과학 분야에도 동일하게 적용돼.

그런데 개념의 형성도 시대에 따라 다른 모습을 보여.

이제부터 우리가 살펴볼 것은 어떤 개념들이 어떻게 나타나고 사라졌는가가 아니야.
쏙!
쏙!

개념을 구성하는 언표들이 시대에 따라 어떻게 조직화되는가를 알아볼 거야.
고대
중세
근대

17세기에 시작된 고전주의 자연사를 예로 들어 살펴보자.

고전주의 자연사에서는 이전 시기인 16세기 자연사에서 사용되었던 개념들을 사용했어. 예를 들어 유(類), 종(種)과 같은 개념들이야.
아리스토텔레스께서 말씀하시길 세상 만물은 창조된 그대로 존재할 뿐 윗 단계로 올라갈 수 없다고 했습니다.
변하지 않아.

세상 만물이란 신의 뜻대로 창조된 것이니 당연히 그럴 수밖에 없지요.

그러니까 씨를 심으면 오로지 그 종류 그대로의 열매가 맺힌다는 말씀! 그게 바로 종(種)의 뜻입니다.

그런데 17세기에 들어와 린네 등의 생물학자의 연구 성과에 의해 종의 개념이 이전과 좀 달라졌어.
공통점을 가진 생물끼리 모아서 그것들의 특징을 토대로 무리를 나누고 몇 가지 단계로 분류해 보면 어떨까?

생물 전체를 가족 관계라는 위계질서로 배열하면 편할 것 같은데?

계(Kingdom), 강(Class)이라는 넓은 분류부터 목(Order), 속(Genus)의 세부 분류를 거쳐 종(種, Species)으로 구분하면 좋겠군.
계
강
목

이때의 종은 개체 사이에서 교배(交配)가 가능한 한 무리의 생물이라고 규정하면 될 것 같아.
INK
계
강
목
속
생물

기존의 개념을 수정해서 사용하는 것 외에 학자들은 필요에 따라 새로운 개념을 만들어 내기도 했어.
바로 이거야.

17세기 후반 현미경이 발견되자 생물 가운데는 동물과 식물 어디에도 포함시킬 수 없는 단세포 생물이 있다는 것이 알려지게 되었어.
오…, 놀라운 발견이다.

새로 발견된 단세포 생물은 새로운 분류의 단위와 그에 알맞은 개념을 요구하게 되었고,
우리는 어디에 속하나요?

이후 단세포 생물들은 원생생물계라는 새로운 개념 아래로 분류되었지.
원생생물계

이후 20세기에 들어서면서 전자현미경이 발명되자,
세포를 좀 더 자세히 관찰할 수 있게 되었어.

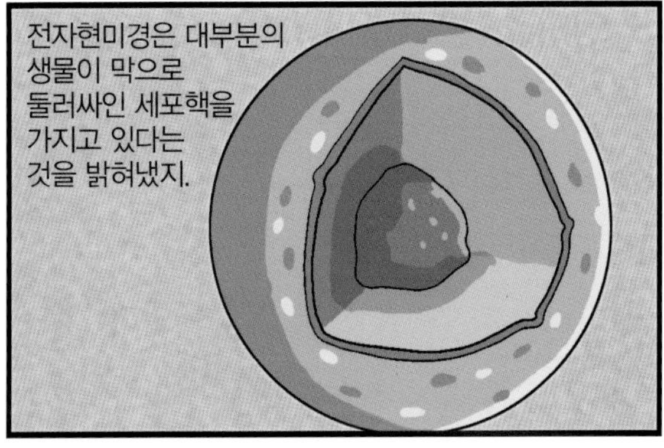
전자현미경은 대부분의
생물이 막으로
둘러싸인 세포핵을
가지고 있다는
것을 밝혀냈지.

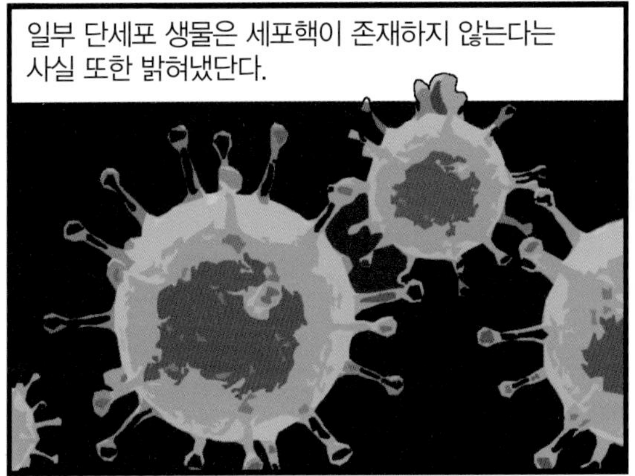
일부 단세포 생물은 세포핵이 존재하지 않는다는
사실 또한 밝혀냈단다.

그 결과 막으로 둘러싸인 세포핵이 없는 생물을
원핵생물이라는 개념으로 분류하는 새로운 분류법이
등장했어.
진핵세포
의족류
원핵생물
바이러스

고대부터 현재에 이르기까지 생물 분류를 둘러싼 변화들을 한번 정리해 볼까? 다음은 생물 분류 체계의 변화를 잘 보여 주는 표야. 고대의 동물계–식물계라는 단순 구분에서 현대의 3역 6계로의 변화까지를 잘 설명해 주고 있지.

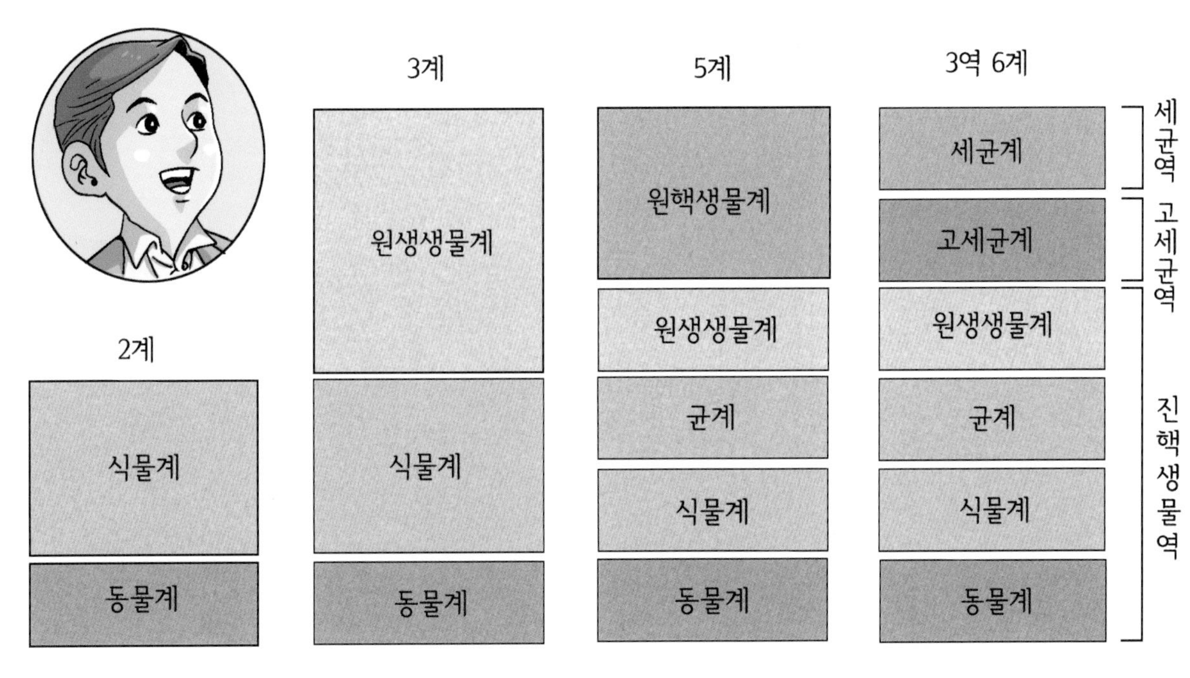
2계
식물계
동물계
3계
원생생물계
식물계
동물계
5계
원핵생물계
원생생물계
균계
식물계
동물계
3역 6계
세균계
고세균계
원생생물계
균계
식물계
동물계
세균역
고세균역
진핵생물역

우리는 생물분류법의 예를 통해 과학에서 사용되었던 개념이 시간이 지나면서 수정되어 재사용된다는 것을 알았어.

개념

또 필요에 따라서 새로운 개념이 나타난다는 것도 배웠지.

신
개념

푸코는 이를 개념 형성의 첫 번째 요건인 '계승의 형태들(formes de succession)'이라 불렀어.

그런데 기존의 개념을 수정하거나 새로운 개념이 출현하는 것은 일반적으로 언표들을 배치하는 방식과 관련이 있어.

무척추도 언표에 포함해야 해.

저건 잘못 배치됐어.

동물 생물

척추 무척추 식물

개념이란 언표를 통해 나타나기 때문이지.

으아~.
드디어 완전히 새로운 생명체를 발견해 냈어.

학자들은 관찰한 것을 글로 옮겨 우리에게 알려야 해. 지각의 과정을 설명하기 위해 그것을 언표의 방식으로 재구성하는 거지.

이게 완전히 새롭다는 사실과 그 때문에 새로운 이름이 필요하다는 것을 알리기 위해서는 논문을 써야 해.

과학자의 관찰은 단순히 하나의 관찰에만 머물러선 안 돼.
문제가 또 있군. 새로운 개체이긴 하지만 이것이 생물에 속한다는 사실을 입증해야 해.

새롭게 알아낸 사실은 일반적인 원리 아래 포섭되고 이를 바탕으로 분류되어야 해.
그래야만 나의 발견이 생물 분류 체계라는 일반적인 원리 아래 포섭될 수 있고,
그 속에서 새로운 분류의 형식을 주장할 수 있을 텐데 말이야…. 정말 큰일이군.

그런데 과학자들이 새로운 연구나 관찰의 내용을 언표의 방식으로 옮겨 쓸 때는
에잉…, 어쨌든 논문을 써 보자.

기존의 개념을 수정하는 것으로 새로운 내용을 잘 나타낼 수 있는지 충분히 고민해야 해.
근데 내가 발견한 이 생물에 대한 기존 개념을 수정하는 게 맞는 일일까?

혹은 마땅한 개념이 없어 새로운 개념을 창안하려고 할 때는
아니야. 이 개념은 이래서 안 되고, 저 개념은 저래서 안 돼.
어쩔 수 없군. 새로운 개념을 만드는 수밖에….

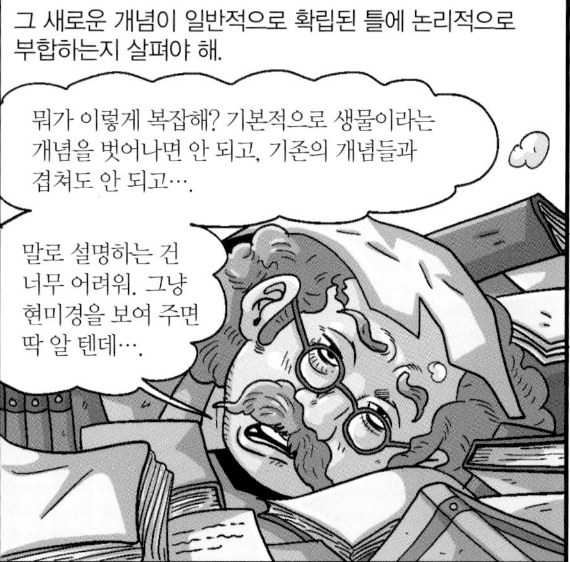
그 새로운 개념이 일반적으로 확립된 틀에 논리적으로 부합하는지 살펴야 해.
뭐가 이렇게 복잡해? 기본적으로 생물이라는 개념을 벗어나면 안 되고, 기존의 개념들과 겹쳐도 안 되고….
말로 설명하는 건 너무 어려워. 그냥 현미경을 보여 주면 딱 알 텐데….

결국 수정된 개념이든 새로이 등장한 개념이든 언표들은 주어진 규칙에 따라 계열화되어야 해.
자~, 빨리 빨리 헤쳐 모이시오! 동물계는 동물계 푯말 아래로, 식물계는 식물계 푯말 아래로, 원생생물계는 원생생물계 푯말 아래로!
동물계
식물계
원생

이때 계열들은 상호 밀접한 관계를 맺고 있어야 하지.
와글와글
우리들은 똑같지 않아요. 하지만 완전히 다르지도 않아요.
우리는 생물이라는 보다 큰 계열에 속해 있어요. 생물이라는 공통점이 있지만 조금씩 다르기도 해요.
생물계열

기존의 개념에 새로운 특징을 부여해 수정하든
이건 무생물로….

완전히 새로운 개념을 만들어 내든,
바로 이거야.
신 개 념

'계승의 형태'들은 단순히 우리가 어떻게 인식하는가를 보여 주는 것이 아니야.

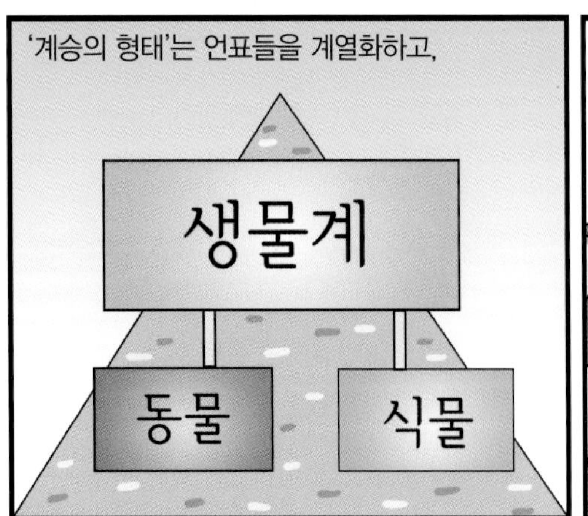
'계승의 형태'는 언표들을 계열화하고,
생물계
동물
식물

개념으로서의 가치를 갖게 하는 요소를 분류하는 규칙들의 집합이야.
개념
동물 - 계, 강.
식물 - 목, 종.

개념 형성에 필요한 두 번째 요건으로 푸코는
'공존의 형태들(formes de coexistence)'을 들었어.

이것은 관찰한 것을 말로 옮기는 언표들의 장(場)이야.
이 장에는 서로 어울리지 않는 언표들이 함께 있어.

지금 현재 다른 곳에서 공식화된
언표들이나,

승인된 진리로 여겨지는 언표들,

또는 비판받았거나 배제된
언표들까지도 포함하고 있어.

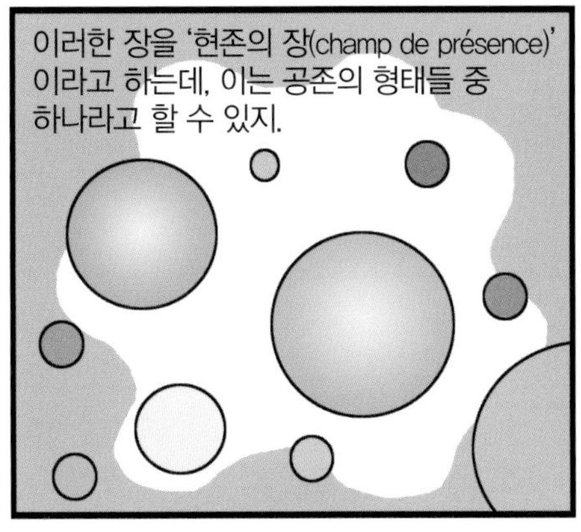
이러한 장을 '현존의 장(champ de présence)'
이라고 하는데, 이는 공존의 형태들 중
하나라고 할 수 있지.

예를 들어 16세기 이탈리아의 박물학자이자
의사였던 알드로반디(Aldrovandi)는
하나의 텍스트인 괴물에 대해
그가 볼 수 있고 말할 수 있는
모든 것을 다 써 넣었어.

여기에는 과학적 관찰뿐만 아니라 민담이나 시인들의
상상까지 다 들어 있지.

이것은 16세기 당시에는 하나의 텍스트를 구성하는 데
하나의 원리만이 적용되지 않았다는 것을 알 수 있어.

다음으로 '병존(併存)의 장(champ de concomitance)'을 들 수 있어.

이것은 어떤 대상을 연구하는 데 있어 완전히 다른 영역이거나 다른 담론들에 속하는 언표들이 함께 활동하는 장이야.
언
표
언
표
언
표

예를 들어 볼까? 18세기 프랑스의 박물학자인 뷔퐁(Buffon)은 린네의 분류학을 비판했어.
린네의 분류학은 감각적 경험주의가 갖는 한계에 빠져 있습니다. 자연과 인간의 관계는 인간을 중심으로 설명하는 게 옳은데
린네는 어째서 인간을 자연의 일부로 보고 생물의 체계에 포함시켰을까요? 도대체 인간이 돼지나 개와 같은 생물에 불과하다는 게 말이 됩니까?
생물 분류표
칫!
린네→

이 시기의 자연사는 뷔퐁과 린네의 대립 속에서 우주론, 철학, 신학, 성서, 성경주석서, 수학 등 완전히 다른 담론에 속하는 연구서들을 받아들였고, 이 모든 주장들의 영향을 받으며 발전하고 있었지.

푸코는 마지막으로 '기억의 장(domaine de mémoire)'을 공존의 형태로 소개했어.

이 영역은 더 이상 받아들여지지도 논의되지도 않지만 어떤 주장의 계보를 따져 보았을 때 나타나는 개념들의 영역이야. 이 영역은 현존의 장과 잘 구분되지 않는다는 어려움이 있어.
개
념
기억

푸코는 개념 형성의 세 번째 요건으로 '간섭 과정(procédures d'intervention)'을 설명했어.
개념
뚝.

하나의 개념이 형성될 때 언표들은 여러 종류의 간섭 과정을 거칠 수 있어.
여기는 아냐.
!
개념
언표
언표
언표
툭!

기존의 개념을 다시 사용하게 될 때에는 현재의 언표 방식이나 개념이 나타내려 하는 내용에 알맞도록 기존의 개념을 조정하는 작업이 필요해.

OO 개념의 정의
개념의 원리
개념
툭·삭
여기는 아냐.

이때 과거의 개념이 만들어 냈던 계열과 현재 수정된 개념이 만들어 내는 계열 사이에서 조정을 위한 간섭이 필요하다는 거야.
과거에는 이것이 없었으니까….
이렇게 수정하면….

이러한 간섭의 과정들은 과학자들이 자신들의
발견을 글로 옮겨 쓸 때 개입되고,

새로이 나타난 개념의 적용 범위를 확장하거나 제한하는
데에도 개입해.
여기에 하나
더 추가.

지금까지 우리는 언표들이 새로이 나타나거나 계열화되고 수정되는 것은 어떤 도식이나 규칙에 따른 것이라는 사실을
알았어.
뼈가 있는 동물로….
이건
고치고.
이건
넣어야.

우리가 어떤 대상을 '무엇'이라고 개념화할 때 그 대상이
'무엇'으로 개념화되는 것은 대상의 본질 때문이 아니야.
꽃이
피는
식물.

그 대상에 대해 '무엇'이라는 관념을 갖는 인식 주체 때문도
아니야.
말.
히히힝-
말.

어떤 대상을 '무엇'이라고 규정할 수 있는 까닭은 그 대상을 그렇게
말하도록 하는 도식이 해당 시기의 사람들에게 이미
주어져 있기 때문이야.
말
말!

이것이 푸코가 말하고자 하는 이야기의
핵심이야.
바로 그거야!

이제 지식이 무엇인지 말하려면, 어떤 것을 그것이라고 말하게 하는 도식(圖式)이 무엇인지 살펴봐야 해.
도식
지식
지식!

그래야만 하나의 대상을 설명하는 언표가 어떻게 정당한지 이해할 수 있을 테니까 말이야.
강아지
개
동물
대상

보다 분명하게 도식을 이해하기 위해서는 언표들에서 반복적으로 나타나는 요소들을 추적해야 해.

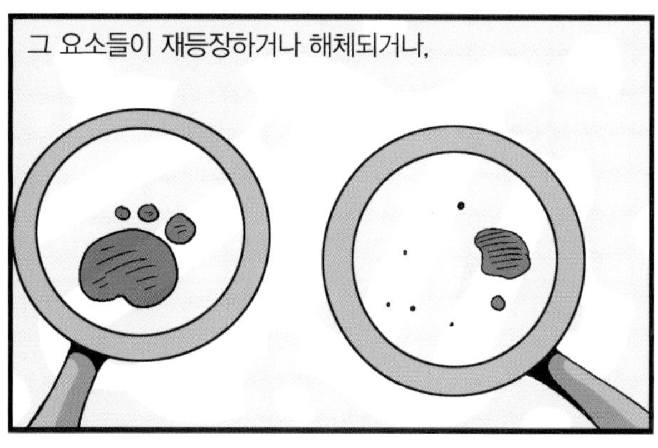
그 요소들이 재등장하거나 해체되거나,

또는 정의로 채택되거나 새로이 등장한 논리 구조 속에 포함되거나,
증거가 포착됐다.

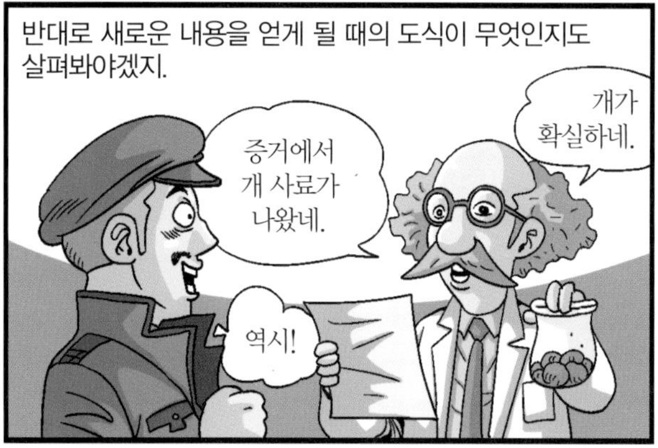
반대로 새로운 내용을 얻게 될 때의 도식이 무엇인지도 살펴봐야겠지.
증거에서 개 사료가 나왔네.
개가 확실하네.
역시!

도식이란 담론들의 규칙 체계 같은 거야.

도식은 우리가 말을 하기 위해서 미리 갖고 있어야 하는 체계이기도 하지.
도식
잘
잘
잘
와! 유식하다.

도식을 숙지하지 않으면 언어를 제대로 말할 수 없어.
난 왜 말을 못할까? 소리를 내도 아무도 못 알아듣네.
옹알 옹알
얘가 하고 싶은 말이 많은 모양이네. 아가야, 말은 나름의 체계를 갖고 있단다. 그걸 먼저 익혀야지.

푸코가 말하길 도식은 전개념적(前概念的, préconceptuel) 수준에 있다고 했어.

또 개념이라는 언표는 언어 너머에 있는 관념성과는 관계가 없다고 생각했어.
우리가 하는 말, 즉 언어는 저 멀리 초월적 세계에 있는 근원적 존재를 지시하기 위한 도구에 불과한 겁니다.
그러니까 개념 또한 사물의 본질을 가리키는 매개일 뿐이지요.
개념은 그런 게 아니에요.

그렇다고 경험을 추상화하는 것도 아니지.
무슨 말씀? 개념은 우리가 경험한 데이터를 귀납한 결과라고요! 귀납이 뭔지 알기나 해요?
귀납은 모든 현상을 경험적으로 조사해서 개개의 현상으로부터 일반적 결론을 끄집어내는 절차를 말하는 겁니다.
그것도 아닌걸요.

푸코는 서구 철학의 커다란 흐름이었던 관념론과 경험론 모두를 반대하고 있다는 사실을 알 수 있어.
관념론
경험론

푸코는 왜 관념론과 경험론 모두에 반대하는 것일까?
관념론
경험론

푸코는 관념론이나 경험론 또한 그 당시 도식의 산물에 불과하다고 생각했어.

담론들의 규칙 체계인 도식은 인간의 정신성에 기초한다기보다는 언표 자체가 갖는 물질성 위에 세워진다고 주장했지.
칙
규
체
계
언표

이게 바로 푸코가 특히 관념론에 반대하는 이유야.
관념론

푸코는 언표가 반(反)형이상학적인 성격을 갖고 있다고 주장했거든.
反
형이상학

이제 우리는 앎을 둘러싼 모든 것이 관념도 경험도 아닌, 담론 위에서만 작동한다는 것을 알았어.
지식
담
론

또한 담론은 물질성에 기초하고 있다는 것도 알았어.
물질성

그럼 이제부터는 담론에 대해 공부해 볼까?
담론

그 전에 담론을 구성하는 요소인 언표에 대해 먼저 배우자.

8장 언표의 의미와 기능

언
표
사전
질
서

우리는 앞 장에서 '언표는 담론을 구성하는 요소'라고 배웠어.

언표가 담론을 구성한다는 건 어떤 의미일까?
언표
언표
언표
담론
언표
언표

마치 원자들이 모여서 물질을 만들어 내는 것과 같은 의미일까?

논리학자들이 '명제'라고 부르는 것들과 같은 의미일까?
명제를 통해 참, 거짓을 가리지.

아니면 문법학자들이 문장이라고 부르는 것들과 같은 의미일까?
이 문장은 굉장히 설득력이 있군요.
그렇군요.

질문에 대한 답을 구하기 위해 '아무도 듣지 않았다'라는 문장과 '아무도 듣지 않은 것은 사실이다'라는 두 문장을 예로 들어 알아보자.

문장 1

"아무도 듣지 않았다."

문장 2

"아무도 듣지 않은 것은 사실이다."

논리학적 입장으로 '아무도 듣지 않았다'와 '아무도 듣지 않은 것은 사실이다'라는 두 문장을 구별하기는 어려워.
같은 문장 아닌가?

또 서로 다른 명제로 간주되지도 않아.

하지만 언표의 차원에서 보면 이 두 개의 진술은 달라. 서로 바꾸어 사용할 수 없거든.
문장
문장
쾅

왜냐하면 두 개의 진술이 동일한 언표군(群, groupe)에 속하지 않기 때문이지.
서로 다른 곳에
속하지.
언표군
언표군

우리가 어떤 소설에서 '아무도 듣지 않았다'라는 문장을 봤다고 하자.

별다른 조건이 없는 한, 우리는 그것이 어떤 한 사람이 확인 차원에서 말하는 것이라고 생각할 거야.

반면에 소설에서 '아무도 듣지 않은 것은 사실이다'라는 표현을 봤을 때는 이 문장이 주인공의 내면적 독백이거나 토론의 일부라고 생각할 거야.
아무도 듣지 않은 것은 사실이다.

또 주인공의 마음속에서 일어나는 망설임일 수도 있다고 생각할 수 있어.

'아무도 듣지 않은 것은 사실이다'는 다양한 의미로 해석될 수 있는 문장이라는 거지.
…….
…….
…….
…….

이처럼 논리적인 방식으로는 언표들에 담겨 있는 함의(함축된 의미)까지 정확히 판별할 순 없어.
너 이거 무슨 뜻인지 아니?
몰라, 그걸 어떻게 구분해?
문장

그러므로 논리학자들이 명제라고 부르는 것과 언표는 다른 거야.

문법학자들이 문장이라고 부르는 것과 언표를
비교해 보면 어떨까?
언표
문장

흔히 우리는 주어 + 서술어로 이루어진 진술을 문장이라고 해.
나는 당신을
사랑합니다.

문장이 아니어도 의사소통을 할 수 있는 경우는 있어. '이 남자(명사구)' 또는 '물론(부사)', '당신(대명사)'으로만 이루어진
언표의 경우가 그렇지. 하지만 이것은 문장이라고 할 순 없어.
누가 지갑을
훔쳤나요?
누구에게
그 사실을
말했나요?
확실히
보셨나요?
이 남자!
물론!
당신!
이 사람은 정말
말이 짧군….

이에 대해 문법학자들은 뭐라고
할까?

문장의 구성 요소들이 생략되긴 했지만
분명 우리는 주어 + 서술어의 도식으로
이걸 설명할 수 있어요.
보세요.
'이 남자'는 '이 남자가
훔쳤어요'로, '물론'은
'물론 나는 보았어요'로
되살릴 수 있잖아요.

문법학자들은 주어 + 서술어의 도식에서 출발해 생략된 말들도 하나의 통합체를 이루는 구성 요소라고 주장해.
결국 명사구나 부사, 대명사만으로도 하나의 문장을 만들 수 있겠지요?
?

하지만 그들의 주장은 그럴듯해 보이진 않아.
아닌가?

그럼 논리학이나 문법 말고는 언표를 설명할 수 있는 방법은 없을까?
물론 있습니다!

진술 행위를 고립시켜 그것의 정체를 확인시켜 주는 장소를 언표라고 생각하는 거야.

이런 생각은 영국의 일상 언어학파 학자인 오스틴(John Langshaw Austin)이 먼저 시도했어.

학자들은 이것을 언어행위론 또는 화행이론(speech act theory)이라 불러.

'언어 행위'란 일상 언어학파 학자들이 주장한 용어로 일상 언어의 엄밀한 분석을 철학의 과제로 삼는 언어의 본질적 존재 양식을 가리켜.

나는 생각한다.
고로 나는 존재한다.
데카르트
언어
내가 어떻게 존재할 수 있는지는 저 아저씨한테 물어 보면 될 거예요.
그래, 그래. 내가 잘 설명해 주지.

예를 들어 법정에서 진행 중인 재판 상황을 한번 생각해 보자.

재판관이 "피고에게 무기징역을 선고한다."는 판결문을 낭독하는 순간,
법
선고한다!

판사의 발언은 단지 사태를 설명하고 기술한 것에 불과한 것일까?
무죄!
유죄!

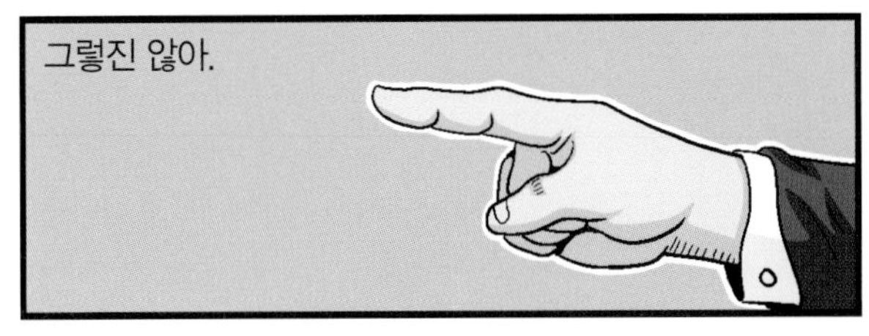
그렇진 않아.

판결문은 판사의 발언인 동시에 법적 효력을 가져.
땅!
땅!
피고 홍길동에게 무기징역을 선고한다.
뭣이? 나는 무죄란 말이오~. 억울해!

판사의 판결 이후에 행해지는 피고의 행동은 법에 따라 사회적 구속을 받을 거야.
자, 갑시다. 앞으로는 바깥 구경하기 힘들겠구먼….
두고 봐, 항소할 거야!

오스틴은 발언이 갖는 사회적 구속력은 이러한 특수 상황에만 적용되는 건 아니라고 주장했어.

오스틴은 약속이나 경고처럼 일상적으로 사용하는 발언도 일종의 사회성을 띤 행위를 수행한다고 말했어.
우리 그만 헤어져!
뭣이라? 한 번만 참아 줘라….
이 나이에 이혼하면 어떻게 해?

오스틴은 사회적 구속력을 갖는 발언을 '발화수반적 행위(illocutionary act)'라고 불렀어.
이대로 못 살아. 그냥 헤어지자고!
애들은 어떡하고…. 제발 참아 줘~!
그는 어떤 것을 설명하는 기능을 가진 '사실 확인적 발언'과 '발화수반적 행위'를 엄격하게 구별했어.
사전(사실 확인적 발언)
사전
여자(발화 수반적 행위)
이제 우리는 남남이야. 앞으로는 아는 척하지 말아 줘~.

'발화수반적 행위'와 '사실 확인적 발언'에는 각각 다른 평가 기준이 적용돼.
발화 수반적 행위
사실 확인적 발언

언어의 기술적 측면에 대한 평가에는 '참/거짓'이라는 기준이 적용돼.

반면에 언어의 수행적 측면에는 '적절/부적절'이라는 기준이 적용되지.
내가 너는 이쁜가?
!
저건 부적절한 언어 사용이야.

참, 거짓
실제로 발언이 어떻게 일어나는지를 살펴보면 이 내용을 좀 더 쉽게 이해할 수 있을 거야.

발화 행위(말을 하는 것)를 할 때 우리는 상대방에게 질문을 하고 대답을 하고 정보를 제공해.
질문….
답.
정보….
…….

또는 상대방에게 자신의 생각을 확인시키거나 경고를 주기도 해.
경고

약속을 하고, 잘못된 일을 비판하기도 하지.

어떤 대상이 무엇인지 규정하거나 서술하기도 해.
늑대가 나타났다!
흥…..

그렇기 때문에 어떤 발언은 질문의 힘을 갖기도 하고, 또 평가로 간주되기도 하는 거야.
선생님, 우리나라 사회 안전망은 왜 이리 허술한 걸까요?
오, 좋은 지적이에요.

이 같은 발화 행위는 생활 속에서 어떻게 수행될까?

……. ……. …….

발화 행위를 수행하기 위해서는 하나의 단어가 아닌 문장 전체를 소리 내어 발음해야 해.
쩌렁!
쩌렁!

웅얼거리거나 짖어 대서는 도대체 무슨 소리인지 알아들을 수가 없어.
웅얼웅얼
뭐라는 거니?

모두가 알아들을 수 있도록 약속된 자음과 모음을 조합해서 발음하는 것을 분절(articulation)이라고 해.

뿐만 아니라 일정한 의미를 갖는 단어를 선택해서 문법에 맞는 문장을 구성한 후에 이를 소리 내서 말해야 해. 이것을 '발화 행위(locutionary act)를 수행한다'라고 하는 거야.
나에게 너는 이 세상의 빛이자 소금 같은 존재야.

물론 글로 쓰는 것도 마찬가지야.

발화 행위는 사회적 구속력을 갖는 발언인 발화 수반적 행위와 함께 발화 수반적 효력(illocutionary force)을 가져.
법

듣는 사람에게 일종의 영향력을 행사하는 발화 수반적 행위는 언어 행위 자체와 구별되는 힘이 있어.
오늘 만 원 빌려줄 테니까 이자까지 만 오천 원을 갚아.
뭐라고? 무슨 이자가 그렇게 비싸?

그럼 말든가~.
에이…, 일단 줘 봐.
탁!

실제로 우리의 언어 행위는 그 말을 듣는 사람에게 영향을 주어 어떤 효력이나 결과를 불러일으켜.
진짜 만 오천 원을 갚아야 하는 걸까?
만 원만 갚으면 안 되는 거지? 진짜 짜증나네….

이처럼 발화 행위가 효력이나 결과를 불러일으키는 것을 '발화 매개적 행위(perlocutionary act)'라고 해.
효력

이제 우리가 어떻게 말을 하고 그 말이 다른 사람에게 어떤 영향력을 행사하는지 이해할 수 있겠지?

다시 한 번 정리해 볼까?

우리는 말을 할 때 우선 입으로 소리를 내거나 글을 쓰는 행위, 즉 발화 행위를 해.
교수님이 그랬어.

하지만 발화 행위만으론 전달하고자 하는 바를 완벽하게 전달할 수 없어.
그게 무슨 뜻이야?

이때 필요한 것이 발화 수반적 행위야.

발화 수반적 행위를 통해 내가 지금 하고 있는 발화가 약속인지,
꼭 지키자.

명령인지
모두 집합!

진술인지

경고인지를 분명히 할 수 있어.
삐이익!

발화 행위는 이러한 과정을 거쳐 대화 상대에게 일정한 결과를 일으키는데 이를 발화 매개적 행위라고 하는 거야.

미안해.

내가 잘못했어.

어때? 이제 이 어려운 용어들이 실제 언어 행위의 어떤 부분에 해당하는지 알겠지?

이제 언표에 대해 새로운 가정을 해볼까 해.
언표

지금까지 설명한 행위들과의 상관관계 속에서 언표의 의미를 분명하게 설명할 수 있다는 가정 말이야.
의미
수반
발화
언표

하지만 발화 행위는 그 자체로 언표를 정의하는 데 도움이 되지 않아.
하나의 단어를 쓰거나 하나의 문장을 말하는 것만으로는 그것을 언표라고 규정할 수 없어요.

발화 수반적 행위 또한 마찬가지야.
발화 수반적 행위의 경우, 다수의 언표들이 각각 그것에 합당한 자리에서 발화될 때에만 통일성을 갖는 것이기 때문에
언표들의 집합과 발화 수반적 행위의 집합 사이에 일대일 대응 관계를 수립할 수가 없어요.

결국 언표를 규명하기 위해서는 논리학도 문법도 언어 분석 모델도 별 도움이 되지 않는다는 사실을 확인했을 뿐이야.
논리학
문법
언표는 명제, 문장 또는 언어 행위와 같은 종류의 단위가 아니에요.

언표는 오히려 명제나 문장,
언어 행위와 같은 것들이 서로
관계 맺고 이것들이 기능하도록
해 주는 일종의 가능성의
조건이라고 할 수 있지요.

그렇다면 이제부터 질문의 내용을 바꿔야 할 것 같아.
'언표가 하는 기능은 무엇일까?'라고 말이지.
기
능

푸코는 언표의 기능을 네 가지로 설명했어.

첫째, 언표는 사물이나 사실을 직접적으로 지칭하는
것이 아니라 가능성의 법칙들과 관계한다고 했어.
가능성 법칙

말하자면 언표는 대상들을 명명하고 지시하고 기술하거나
또는 긍정하거나 부정하는 규칙들로 구성된 하나의
좌표계와 연관되어 있다는 거야.
언표
대상

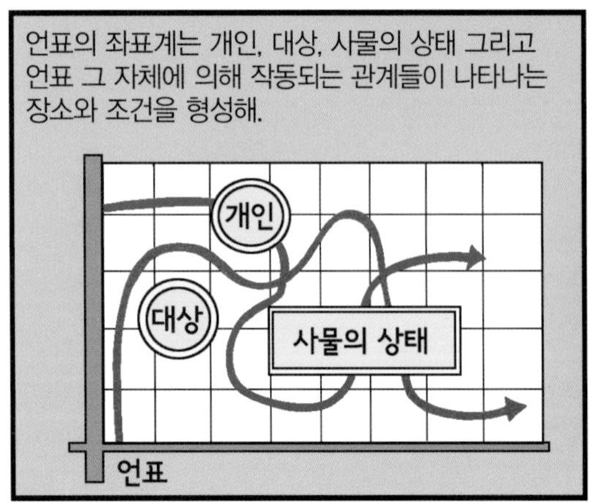
언표의 좌표계는 개인, 대상, 사물의 상태 그리고
언표 그 자체에 의해 작동되는 관계들이 나타나는
장소와 조건을 형성해.
개인
대상
사물의 상태
언표

푸코는 언표란 아직 잠재적 상태에 놓여 있는 것들을
현실로 나타나게 하는 분화의 공간들과
관계하는 것이라고 주장해.

다시 말하자면 분화란 이런 거예요.
실제로 존재하지만 아직까지
현실적인 상태는 아닌 것을
잠재성이라고 한다면,
이 잠재성의 일부가
현실화되었을 때가
바로 분화인 거죠.
언어 행위도 마찬가지예요.

많은 것들 중 왜 꼭
그 단어나 그 표현,
그 몸짓이 현실화되는가의
문제가 중요해요.

따라서 언표에 대한
설명은 분화의 공간과
언표와의 관계에 대한
분석을 통해 이루어질
수밖에 없습니다.

둘째, 언표는 주체와 일정한 관계를 맺고 있다고 했어.

언표는 그것을 발화하는 누군가를 필요로 하니 그건 당연하다고 생각할 거야.

좔
좔
좔

하지만 이 누군가가 꼭 언표의 주체인 건 아니야.

푸코는 이 발화의 주체를 저자라 불렀어.

언표의 주체와 저자는 다르다는 거지.

언표의 주체
발화의 주체

소설을 예로 들어 볼까?

독자들은 소설을 읽으면서 소설을 쓴 작가가 소설의 발화 주체인 동시에 언표의 주체라고 생각해.

물론 독자들은 소설을 읽으면서 작가의 경험이나 사유를 접하게 되고

작가의 훌륭한 문체에 열광하기도 하지.
설득력이 넘쳐.

하지만 그 모두가 소설을 쓴 작가의 것일까?

작가는 하나의 작품을 쓰기 위해 수많은 작품을 읽고 그 작품들의 영향을 받았을 거야.
역사

또 작품 속에 언표된 것은 작가가 경험한 다양한 언어 관습과도 밀접한 관계가 있을 거야.

언표의 주체는 언어 관습으로도 드러난다는 말이지.
…….
…….

또한 작가가 작가로서 글을 쓰려면 작가라는 주체로서의 지위와 그에 합당한 권위를 얻어야 해.

누군가에게 주체로서의 지위와 권위를 부여하는 것은 사회나 제도와의 관계 속에서 이루어져.

법
제도

작가는 작가라는 주체의 지위를 유지하기 위해 작가로서 해야 할 말을 작품에서 말하지.

역류
저자 OOO

이는 언표의 주체를 살피기 위해, 언표의 주체가 되기 위해선 개인이 차지해야 하는 위치가 어떤 것인지를 밝혀야 한다는 말이야.

셋째, 언표와 연결된 영역이 있다고 했어.

이 영역에는 어떤 것이 있을까?

언표는 글이 새겨지는 표면이나 소리를 내는 실체들이 할 수 없는 것을 할 수 있어.

언표

우선 문법적 규칙을 들 수 있어.

문법

'그는 어제 도착했다'라는 말은 문법에 맞는 하나의 문장을 형성해.

"그는 어제 도착했다."

반면에 '그는 도착 어제 했다'라는 말은 문법에 맞지 않아 제대로 된 문장을 형성할 수 없어.

"그는 도착 어제 했다."

그리고 문맥도 고려해야 해.
논문

일상적인 대화와 논문에서 사용하는 표현은 서로 다르니까.
…….

게다가 언표는 다른 언표들과의 관계 속에서 구성돼.

대화에서 사용되는 관습적인 어구들, 옛날이야기에 등장하는 관례적 요소들, '옛날 옛날에….'와 같은 상투적인 표현들이 그 예지.
그러니까 아주 먼 옛날….

이미 승인된 명제들과 관계 맺지 않는 언표는 없어.
논문
○○○의 주장은 이러한 점에서 옳지만 저러한 점에서는 한계가 있고….

또 언표는 어떤 상황이 언어로 즉각적으로 투사되는 것도 아니야.
언표

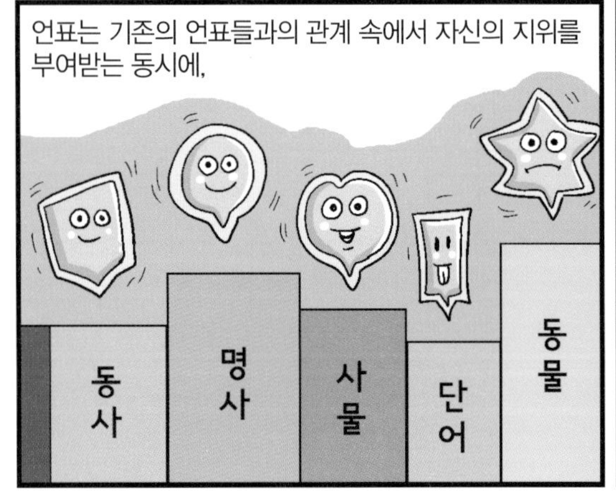
언표는 기존의 언표들과의 관계 속에서 자신의 지위를 부여받는 동시에,
동사
명사
사물
단어
동물

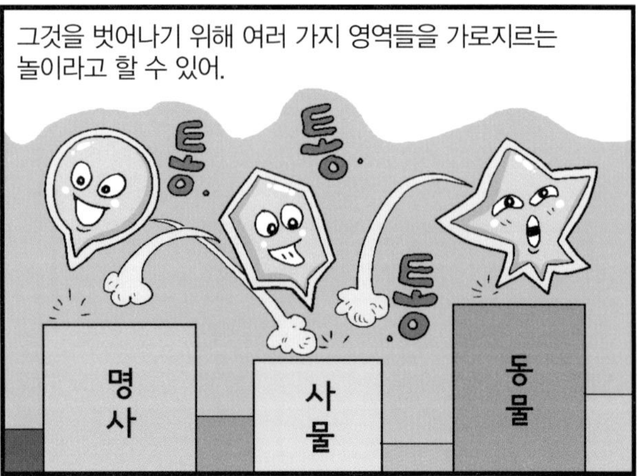
그것을 벗어나기 위해 여러 가지 영역들을 가로지르는 놀이라고 할 수 있어.
통.
통.
통.
명사
사물
동물

마지막으로 언어적 요소들로 이루어진 계열이 하나의 언표로
간주되기 위해서는 물질적 실존을 가져야 해.

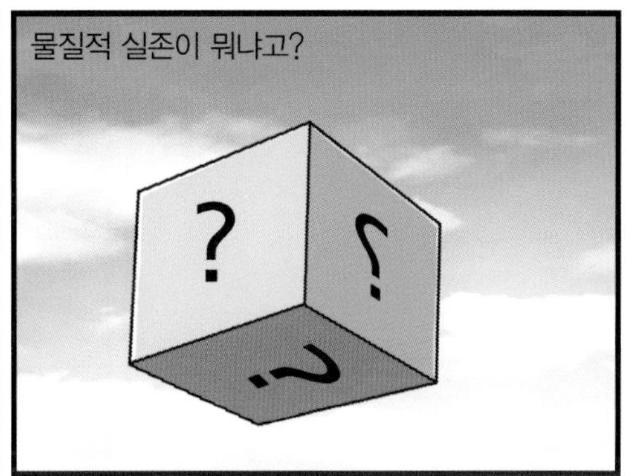
물질적 실존이 뭐냐고?

만약 우리가 목소리를 내어
발화하지 않는다면,
야 호!

기호들이 표면 위에 쓰여 있지
않다면,
한
장
를

혹은 기호들이 어떤 감각적인 요소 속에
구현되지 않는다면,
버스

과연 언표에 대해 생각할 수 있을까?

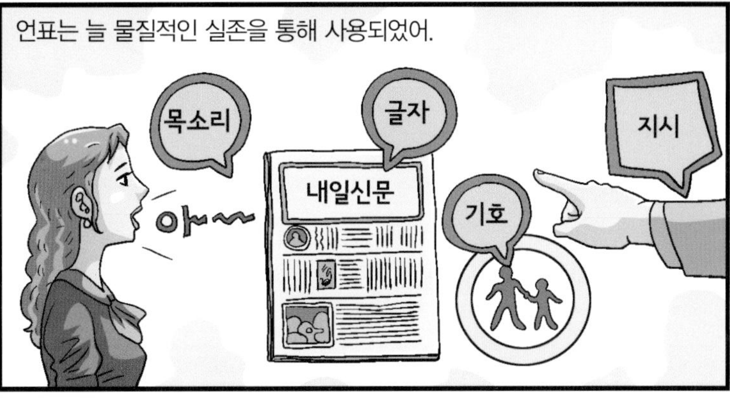
언표는 늘 물질적인 실존을 통해 사용되었어.
목소리
아~
글자
내일신문
기호
지시

언표가 필요로 하는 물질성은
일종의 보조물이 아니야.

어떤 의미에서 보면 물질성이 언표를 구성한다고
볼 수 있어.

'불이 났어요!'라는 문장을
예로 들어 보자.

우리가 이 문장을 실제로 들었다면 어떨까?
불이 났나 봐. 얼른 밖으로 나가야 해!
큰일 났어. 빨리 빨리 움직여!

하지만 똑같은 문장을 책에서 읽었다면 반응은
달라질 거야.
흐음, 내용이 점점 흥미로워지는 걸~.

또 이 문장을 어제 신문에서 보는 것과 100년 전 신문에서 보는
느낌은 많이 다를 거야. 따라서 이 둘을 동일한 언표라고
말하기는 힘들어.
와…, 이런 큰불이 났었구나.
도대체 언제 적 기사여?

그러므로 언표의 특성을 구성하는 것은 언표의 좌표계와 물질성이라고 할 수 있어.
문법이나 논리적 규칙들, 발화의 상황과 관계되는 요소들,
기존의 언표와 지금 현실화하려는 언표 사이의 관계, 이러한 것들이 언표의 좌표계를 구성하고 있어요.

언표의 특성을 구성하는 물질적 지위는 하나의 언표가 여러 시간과 공간에서 반복되고 있느냐의 문제와 관련되어 있어.
언
표
언
표

많이 반복될수록 지위는 높아지지.
언표
8
2012
4
1860
1925
3
7

언표는 언제 어디에서, 그리고 얼마나 자주 현실화되느냐에 따라 물질적 지위가 달라져요.

결국 이 두 가지가 언표의 특성을 결정짓는다고 할 수 있어요.

결국 언표는 음성이나 기호 같은 물질성 속에서 나타나고,
이 논문만 완성되면…. 이 논문만 출판되면….
그럼, 뭐?
후비적
ink

동시에 어떤 욕구를 실현시키거나 가로막기 위해 나타나.
나는 세계 최고의 학자가 되어 내 이론은 진리가 될 거야~!
무슨 말씀…. 그 이론은 내 이론과는 정반대 주장을 담고 있으니 그런 일이 있어서는 안 되지.
이론

또한 사회에 따라 해당 언표의 의미를 유지 또는 삭제하려는 것으로부터 많은 영향을 받아.
싸우지들 마. 우리는 두 주장 중 우리 사회에 더 어울리는 주장을 인정해 줄 거야.
다른 이론들은 물론 사라지겠지.
A
B

푸코는 언표를 물질성에 기반을 둔 것으로 규정하고,

이를 좌표계로 설명한 다음에,
현재
과거

언표의 등장과 사라짐 그리고 재등장을 고찰했어.
언표
언표

결론적으로 푸코는 언어 행위 전체를 일종의 기록보관소로 간주했고,
언표
보관

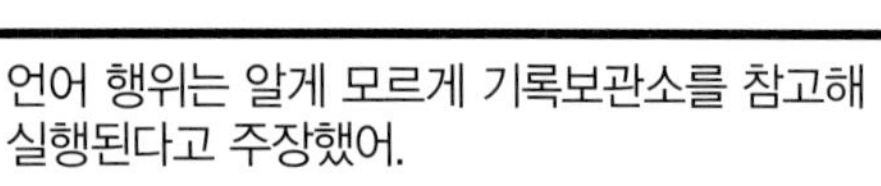

언어 행위는 알게 모르게 기록보관소를 참고해 실행된다고 주장했어.

그런데 푸코가 언표를 물질적인 것이라고 규정한 것은 어떤 의미일까?
언표는 물질적인 거예요. 달리 말하면 정신적인 활동에 국한된 것만은 아니라는 뜻이지요.

언표가 물질성에 기반을 둔다는 푸코의 주장은 언표를 반(反)형이상학적인 것으로 정의하려는 그의 생각과도 깊은 관계가 있어.
우리가 말하는 100퍼센트가 우리만의 의도로 시작된 것이거나, 내가 쓴 구절이 완전히 나만의 창조물이라고 말할 순 없습니다.
우리가 언어 행위를 시작하기 훨씬 전부터 언표들이 배치되고 엮이는 질서는 존재했습니다.

언표의 좌표계에 대한 푸코의 설명은 담론의 형성이나 작동이 인간의 능력 범위 안에 있지 않다는 사실을 확인시켜 줬지.
언
표

푸코가 말하길 지식을 구성하는 요소인 언표는 이미 만들어져 있는 질서와의 관계 속에서 만들어지는 물질성이라고 했어.
질
서

그는 이 물질성을 있는 그대로 고찰하는 것이 고고학적 방법론이라고 했지.
언표

다음 장에서는 푸코가 말한 고고학적 방법론이 무엇인지 본격적으로 알아보자.

9장 고고학적 방법으로 생각하기

우리는 앞에서 언표란 일련의 기호들로 이루어진 집합이라고 배웠어.

또한 그 집합이 바탕이 되어 작동하는 하나의 기능이라는 것도 알게 되었어.
알기 쉽게 표현했어.
원소이름 수소 산소
원소기호 H
원소이름 철 아연
Z
원소 이론과 기호들이다.

그리고 그 기능들이 담론을 형성한다는 것을 배웠어.
H N C
원소 기호 표기도 과거와 현재가 다르네.
과거 표현이 더 정감 있다.

그런데 이 기능은 우리가 생각하는 언어의 기능과는 달라.
빵이 아니면 죽음을 달라!
언표 기능이 아니래도!

이 기능은 문법적으로 옳고 그름을 따지거나,
말이 안 돼.
맞는데 뭐….

논리적으로 참과 거짓을 따질 때 사용하는 언어 기능과는 차이가 많아.
아니라고!!
맞다고!!
사실 관계를 따지는 기능이 아니고….

언표의 기능을 실행하기 위해서는 일종의 좌표계가 필요해.

좌표계는 하나의 사실이나 대상이 아니라
슈우우웅!
?
대상

새로 만들어지는 언표가 자리 잡도록 해 주는 원리라고 할 수 있어.
고마워.
척!

또 언표의 기능을 실행하기 위해서는 주체가 필요해.
나?

여기서 말하는 주체는 말을 하는 의식이나 언어 표현을 하는 저자가 아니야.
내 논문은 철학과 감성. 그리고…
선생님은 주체가 아니래요.

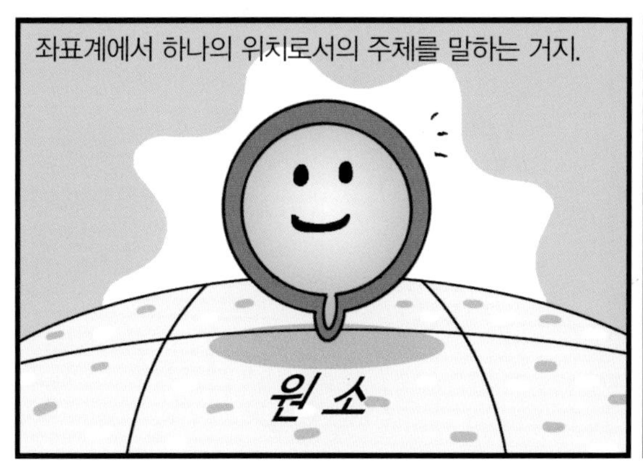
좌표계에서 하나의 위치로서의 주체를 말하는 거지.
원소

한편 언표의 기능이 실행되기 위해서는 일종의 연합된 장소가 필요해.
연합의 장

이 연합의 장(場)이란 언어를 표현하는 문장이 아니야.

아직 표현되지 않았지만 언젠가는 표현될 다른 언표들과 공존할 수 있는 영역을 말해.

재잘
안녕, 친구야.
안녕.
재잘
야…, 나는 어디에 속하게 될까?

현실화되지 못한 언표들이 완전히 사라지고 난 후, 미래의 어느 시기에 완전히 새로운 지식이 등장할 수도 있어.

앎

그때 기록보관소를 갖지 못한 우리는 길을 잃고 허둥댈지도 모르니 어떤 영역을 갖고 있어야 해.

앎
도대체 저건 뭐지?
빨리 알아봐야지.
자료에도 안 나와 있어.

마지막으로 언표의 기능이 실행되기 위해서는 물질성이 필요해.

이 물질성은 단순히 음성이나 문자를 일컫는 것이 아니야.

아….
PART

이것은 언표의 사용과 재사용을 가능하게 하는 언표들의 분배 규칙과 비슷해.

과거에는 없는 존재였지만….
지금은 물리학에 사용하는 게….
과거 현재

지금까지 배운 내용을 다시 한 번 정리해 볼까?

정리

우선 언표들로 이루어진 집합은 문법적 연결로 문장으로 묶이지 않아.

우린 개체야.
나는 내일 어디론가 떠날 것이다.
문장으로는 쓰이지 않는구나.

또한 논리적 연결에 의해 명제로 묶이지도 않지.
일부만 쓰일 뿐….
명
제
참·거짓

그럼 언표들로 이루어진 집합이란 뭐죠?

언표들로 이루어진 집합은 언표들의 연합의 장에 공통적으로 적용되는 규칙이나 이 연합의 장을 묶어 주는 체계와 관련 있어.

원소
수학
의학

그래서 우리는 언표를 지배하는 일반적 규칙을 잘 살펴봐야 해.
과학
의학
해부학
우주
지구
물리

이때 우리는 비로소 담론이 어떻게 형성되는가를 이해할 수 있어.

담론은 언어 수행의 집합을 지배하는 일반적인 언표 체계의 영향을 받으면서 형성되거든.
제가 연구한 이 물질은 광물에 속하는 것으로….

물론 언표 체계만이 담론의 형성에 관여한다고 말할 수는 없어.
담
론
언표 체계

담론의 형성에는 언어학적 체계, 논리학적 체계, 심리학적 체계가 각기 다른 차원에서 영향을 미치기 때문이야.
언어학적인 표현이 중요….
논리적으로 따져 봐야….
속을 들여다 봐야.
언어학
논리학
심리학

특히 언표 체계를 잘 살펴보면, 말해진 것을 특이한 수준에서 분석할 수 있게 돼.
이 말은 또 무슨 뜻이람?

후후, 무슨 말인지 좀 어렵지? 네 가지로 정리해 줄 테니 잘 들어 봐.

우리는 앞에서 '대상의 형성', '주체의 위치 형성', '개념의 형성', '전략적 선택의 형성'에 대해 탐구했어.
정신 질환자.
의사의 지식으로 판단.
나는 동물.
나는 식물이야.
대상
주체 위치
개념 형성

첫째, 지식의 대상은 어떻게 형성될까?

지식의 대상은 자연스럽게 지위를 차지하는 게 아니야.
아저씨가 좀 이상해요.
응.
나는 무슨 대상인 거죠?

언표와 지식의 대상이 관계 맺기를 할 때 비로소 지식의 대상이 될 수 있어.
주체
제가요?
정신 병리학적으로 볼 때 당신은 치료 대상입니다.
정신병자구나.

둘째, 지식을 말하는 주체는 어떤 존재일까?

지식을 말하는 주체는 여러 입장과 상황에 얽매여 특수한 지식을 말할 권리를 갖는 존재야.
제가 연구한 바에 의하면 우리 식생활에 필요한 영양소가….

동시에 사회가 요구하는 것을 실행해야 하는 존재야.
이번에 개발한 감기 백신입니다.

셋째, 개념은 어떻게 형성될까?

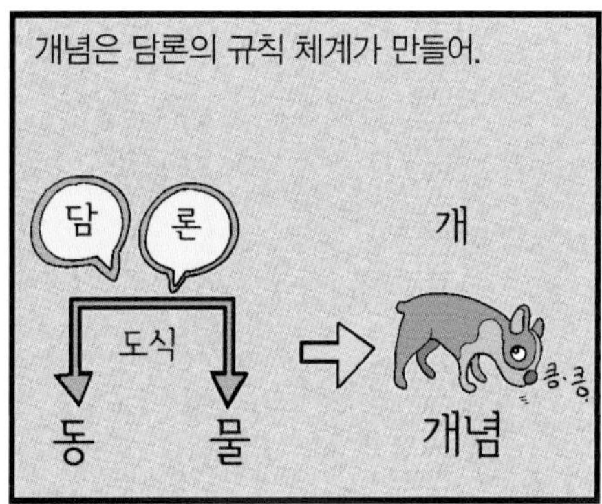
개념은 담론의 규칙 체계가 만들어.
담
론
도식
동
물
개
개념

지식을 둘러싼 모든 것이 관념도 경험도 아닌, 담론의 층위에서만 작동한다는 거야.
앎
담
론
지식
담
론
앎
담
론
지식

넷째, 어떤 지식을 지식으로 인정하기 위해서는 전략적 선택이 필요해.

하나의 언표가 등장했다가
언표

다른 언표에 밀려 사라지거나
내 자리야!
퉁

재등장하게 되는 것은
안녕? 다시 돌아왔어.

모두 언표의 좌표계와 관련된 전략적 선택들이야.
난 여기.
나는 여기에 꼭 필요해.

이처럼 앞에서 말한 네 가지에 따라
언표들은 하나의 담론을 구성해.

담론의 구체적인 내용은 우리가 정신 병리학, 임상의학, 일반 문법,
자연사라고 부르는 학문에서 볼 수 있어.

정신 병리학
임상의학
자연사

이 담론들이 바로 고고학이 연구 단위로
삼는 것들이야.

정신병리
임상학
자연사

지금까지는 담론 형성과 언표들의 관계라는 담론의 내부 상황에
주목해 왔어.

담
론
형
성
언
표
언
표

이제는 언표와 담론이라는 용어의 외부적
사용에 대해 알아보려고 해.

언표
담론

본격적으로 담론을 단위 삼아 역사를 추적하는 고고학에 대해
살펴보는 거지.

담론
역사

그런데 여기서 잠깐! 한 가지
의문이 있어.

푸코는 왜 여러 종류의 학문을
담론이라는 단위로 분석하려는
걸까?

담
론

그건 그동안 지성이라는 이름으로 수행되었던
연구에 커다란 문제가 있었기 때문이야.

우리
연구가
뭐
어때서?

푸코는 지금까지 여러 학자들이 연구한 인류의 지성사는 지엽적이고 주변적인 역사를 논하는 데에만 매진해 왔으며 지식의 역사를 정확하게 기술하는 데는 실패했다고 생각했어.
정말이죠?
1층, 2층, 3층….
눈과 코…, 그리고 이빨…. 동물 맞네!
제대로 된 설명이 아니야.

그건 기존의 지성사가 비과학적인 방법으로 여러 가지 현상과 사건을 분석했기 때문이야.
제대로 된 화학이 아니라 연금술에 빠져 있고, 생리학이 아니라 동물 영혼 이론이나 골상학에 빠져 있고,
물리학이 아니라 원자론적 사고에 빠져 있어서는 과학적인 분석을 해낼 수 없어요.

그래서 푸코는 지성사가 엄밀하고 개별적인 체계로 결정화(結晶化)되지 못하고 일상적인 글쓰기로 변질되었다고 생각했어.
이런 글쓰기로는 통속적인 문학, 연감, 잡지 또는 차마 입에 담기에도 곤란한
수준 낮은 학자들에 대해 분석하는 일밖에 할 수 없어요.

푸코는 이러한 문제점들을 보완해 지성사를 새롭게 써야 한다고 말했어. 학자들 또한 기존의 학문 분야를 제대로 관통해서

제대로 된 학문을 연구하고 기록하자.

이를 다시 논하고 재해석하는 과제를 떠맡아야 한다고 주장했지.
구체적인 내용들을….
이건 이렇게 보완하고….

새로운 지성사는 주어진 과제를 잘 수행하기 위해 주변 영역보다 하나의 관점을 제시하는 것으로 학문 연구를 다시 시작해야 해.
진화라는 주제를….
우리가 무심코 넘긴 곳부터….
현장 조사도….
지식

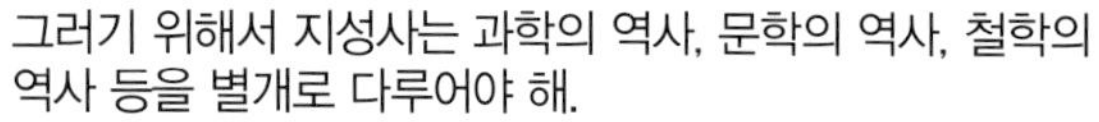
그러기 위해서 지성사는 과학의 역사, 문학의 역사, 철학의 역사 등을 별개로 다루어야 해.

과학
문학
철학

각각의 역사를 다루는 방식 또한 지금까지 해 왔던 것과 달라야 해.
여기가 문학 코너군.
문학

지금까지는 사람들의 언어 표현을 조사해서 결과를 얻었어.
이 사람은 이렇게 해석했군.
이걸 쓰자.

푸코가 말하는 새로운 지성사란 어떤 경험을 하나의 지식으로 연결했던 직접적인 경험, 바로 그 경험을 조사해서 결과를 얻는 것을 의미해.
나의 경험과 노력으로 만든 책이야.
종의 기원
찰스다윈
오, 귀한 자료.

이미 수용된 언어 표현에서 출발해서
우울증이 뭐더라?

그 언어 표현이 어떻게 지금의 의미를 갖게 되었는지를 거꾸로 추적하는 거야.
맞아. 이건 일종의 병이야. 병원에 가서 치료를 받아야지….
고대자료
중세자료
근대자료
현재자료

잘 구성되어 있는 듯 보이는 하나의 건축물을 낱낱이 떼어 내어 자세히 살펴보는 거야.
어? 근데 옛날에는 우울증을 병으로 여기지 않았다던데 어떻게 된 일일까? 좀 더 알아봐야겠네.
뒤적...
뒤적...

그렇게 살펴보다 보면 하나의 건축물은 여러 개의 건축물 단위로 분해되고,
광기
정신질환
분열증

결국 무너져 버리고 말 거야.
우울증

이런 방식으로 지성사를 살펴보았을 때의 장점은 무엇일까?

푸코는 이에 대해 이렇게 말했어.
우리는 이런 방식을 통해 철학적 장에서만 공식화되던 문제나 개념들이 어떻게 과학적이거나 정치적인 담론들로 옮겨 올 수 있었는지를 정확히 읽어 낼 수 있게 됩니다.

철학의 역사를 다루면서 철학에서 사용되는 언어 표현에만 주목하여 그것들의 상관관계만을 따지게 된다면 철학과 현실 사이의 관계 맺기는 힘들지 않을까요?

이렇게 보면 기존의 지성사를 포기해야 할 거야.
굿바이.
지식의 역사

실제로 푸코의 고고학적 분석은 기존의
지성사를 포기할 것을 요구해.
미안해.
잘 가.
지성사

즉 기존의 지성사가 제시한 가설들과
그 연구 과정들을 거부하라는 거야.
연구
과정
가설
지성사
거부.
믿을 수 없어.

결국 푸코의 고고학적 분석은 지금까지
사람들이 말해 온 것과 전혀 다른
역사를 만들어 내고자 하는
시도라고 할 수 있어.
경험에서 나오는 정확한
지식을 바탕으로 써야 해.

그렇다면 고고학적 분석과 지성사에서 사용했던
분석은 어떻게 다를까?
고고학적
분석
지식의
역사
쳇!

첫째, 고고학은 담론을 어떤 사물의 기호로 여기지 않아.
다른 사물의 기호인 저는
사실 존재하지만 존재하지
않는 척해야 해요.
저는 늘 제 안에 의미를 갖고
있는 것으로 여겨졌고,
의미를 싸고 있는
저 자신은 마치
투명한 것인 양
눈에 띄지 않아야 했죠.
저는 늘 그런 힘든 삶을
살아야 했답니다. 흑흑~.

푸코의 고고학은 담론을 담론 그 자체로 여길 뿐이야.
다시 말해 담론을 일정한 규칙들에 복종하는 언어
실천으로 생각하지.
그럼 이제 저는
제 모습 그대로 있어도
되는 것인가요?
사실 저희들도
나름의 규칙을
가지고 있답니다.
규칙만
따르면 돼.

고고학은 숨겨진 다른 담론을 찾으려고 하지 않는다는 점에서 해석학과 달라.
드디어 저희들을 있는 그대로 봐 주시는 분이 나타나셨군요.

둘째, 고고학은 모순이나 다양한 것들이 함께 존재하는 상황을 거부하지 않아.
맞아요. 우리는 왜 서로 다르다는 이유 때문에 함께 있을 수 없는 건가요?
훌쩍!

고고학은 담론을 작동시키는 규칙들의 놀이가 갖는 특이성 속에서 담론에 대해 기술하려고 해.
제발 우리를 있는 그대로 봐 주세요.
우리가 꼭 같은 모습으로 있어야 하는 건 아니라고요!

이러한 점에서 볼 때, 고고학은 담론의 양태들을 각각의 특이성 속에서 고찰하는 차별적 분석이라 할 수 있어.
우리가 다르다면 그냥 다른 것일 뿐이에요.
왜 우리가 만들어 내는 모순을 극복한 상위의 존재 C가 필요한 것일까요?
모순 덩어리들.
우린 변증법이 싫어요!

셋째, 고고학은 하나의 텍스트를 최선이라 여기지 않아.
나는 하나의 작품이야, 에헴~.
그래서 어쩌라고?
TEXT
고고학

고고학은 개인적인 것과 사회적인 것이 뒤바뀌는 수수께끼 지점을 찾으려고 하지도 않아.
잘 좀 봐. 나는 분명 개인이 만들어 낸 작품일 뿐인데 어느 순간 사회적인 담론으로 자리 잡잖아? 멋지지?
관심 없어.
TEXT
고고학

고고학은 창조의 심리학도
신이 우리를 창조하셨도다!
창조 심리학
고고학
난 그런 게 아냐.

사회학도 아니며
사회관계의 원인과 결과….
사회학
그것도 아니고요.
고고학

심지어 인간학도 아니야.
인간의 본질과 우주와 인간의 관계….
인간학
휴우…!
그것 또한 아니라고!
고고학

고고학은 작품으로서의 텍스트를 그저 하나의 단위로 여길 뿐이야.
알겠어? 넌 그저 하나의 단위일 뿐이라고!
TEXT
고고학

텍스트를 전체적인 문맥 속에 위치시키는 것이 고고학의 일이긴 하지만
날 이런 식으로 다루는 건 직무유기야!
TEXT

그보다 개인적인 작품 전체를 관통하는, 말하자면 텍스트를 지배하는 담론의 실천 규칙과 유형을 정의하는 일을 더욱 크게 생각해.

담론
고고학
정의
생물계
TEXT
FER-pen...

그래서 고고학은 '창조하는 주체'와 그 결과물에 소홀하게 되는 거야.

내가 만든 건데.
정리하느라 바빠요.
실천
정의
결과물
고고학

마지막으로 고고학은 저자와 텍스트의 동일성을 추구하지 않아.

말을 하는 사람이 의도했던 것과 말해진 것은 언제나 동일한 것일까요?
고고학

고고학은 말해진 것이 곧 의미라고 생각하는 일을 반복하지만 의미를 고정시키지 않아.

언어란 언제나 담론의 공간 안에서 분산됩니다.
고고학

그래서 고고학은 순수한 원래 의미를 되찾으려고도 하지 않아.

말해진 것 또는 텍스트는 외재성이라는 형태 하에서 구성되는 거야.
고고학
TEXT

텍스트란 다시 쓰기에 불과하다는 사실을 인정할 뿐이야.

그러니까 말해진 것이나 텍스트는 이미 쓰인 것을 변환한 것에 불과해.
하지만 이 변환도 언표들이 만들어 내는 규칙에 따라 규제받는다는 걸 잊어서는 안 돼.
고고학

결국 고고학은 말해진 것의 원래 의미가 갖는 비밀을 찾아가는 것이 아니라

고고학

담론을 대상으로 하는 체계적인 기술(記述)인 거야.

담론
동물은 저쪽, 사물은 이쪽….
고고학
동물
사물
척!
척!

이제 우리는 푸코의 설명을 통해 모든 언표들은 어떤 규칙성으로부터 나타난다는 것을 알게 되었어.

언표
언표
언표
언표
언표

그 결과 언표는 순수한 창조의 결과물이나

그건 제가 아니에요.
언표
창조

천재가 겪는 혼란스러움이 빚어 낸 것도 아니라는 사실을 알았어.

진실인가? 거짓인가? 아…!
언
표

하지만 언표가 능동적이라는 사실도 알게 되었어.

?…
불편해.
내가 있을 곳이 아닌가 봐.
언표
언표
……
언표

모든 언표의 장은 규칙적인 동시에 깨어 있기 때문이야.

모두 줄을 잘 서서
자신의 자리를 잘 찾아가.

최소한의 언표조차도 그것의 대상, 그것이 사용하는 개념들, 그리고 그것이 참여하는 전략을 만들어 내는 규칙들의 놀이를 하고 있거든.

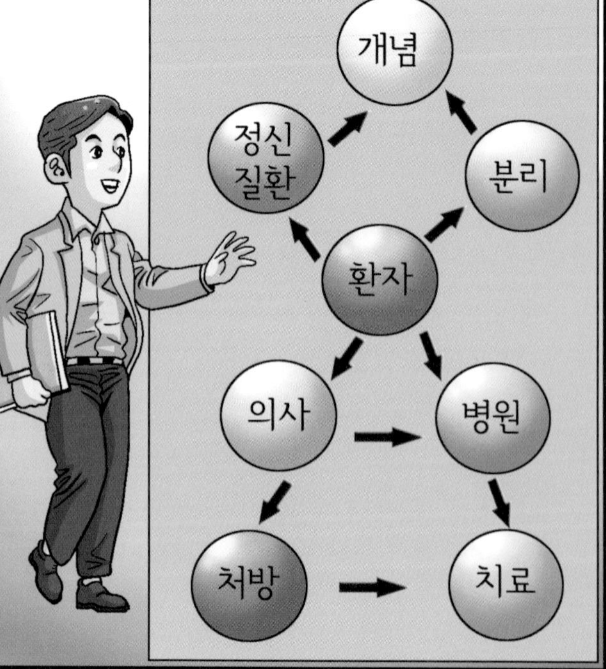

개념
정신 질환
분리
환자
의사
병원
처방
치료

푸코는 가장 일반적이고 적용 범위가 큰 언표의 형태로부터 보다 덜 일반적인 형태의 언표에 이르기까지 과정을 보여 주려고 해.

그는 이것을 나무의 이미지로 설명했어.

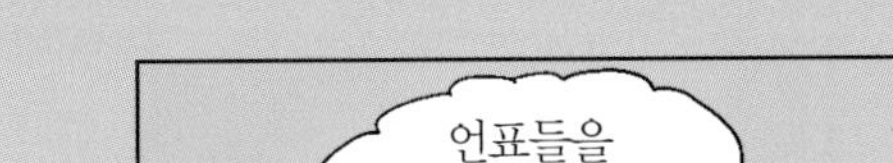

언표들을 붙여 볼 거야.

나무의 제일 아래에는 그 규칙이 가장 넓은 적용 범위를 갖는 언표들이, 그 위에는 저마다의 규칙을 갖는 언표들로 이루어진 나뭇가지의 갈래들이, 마지막으로 꼭대기에는 훨씬 제한적이고 지엽적인 영역에서 동일한 규칙을 따르면서 섬세하게 분절된 언표들이 자리 잡고 있다고 했어.

가재
꽃게
소나무
은행나무
개구리
고양이
강낭콩
백합
절지동물
겉씨식물
척추동물
속씨식물
동물
식물
생물군

이를 바탕으로 고고학은 담론이 전개되는 것을 보여 주려고 했어.

담론

자연사를 예로 들어 볼까?

나는 자연계의 변화와 발전에 관한 역사야.
자연사

우선 뿌리의 자리에 관찰 가능한 대상들을 정의하는 언표들을 놓을 수 있어.
대상의 정의와 관련된 언표들

다음으로 그 대상을 어떻게 기술할 것인지에 관련된 언표들을 놓을 수 있고,
대상의 정의와 관련된 언표들
대상의 기술과 관련된 언표들

가장 일반적인 규칙에 따라 앞으로 나타나게 될 개념들의 영역을 관장하는 언표들을 놓을 수 있겠지.
대상의 정의와 관련된 언표들
대상의 기술과 관련된 언표들
개념 영역을 관장하는 언표들

이렇게 기본적인 언표들이 자리를 잡으면

각각의 자리에 새로운 발견을 배치하고
우아, 이번에 발견한 화석은 완전히 새로운 계열에 속하는 거래.
그럼 우리가 새로운 계열을 발견해 낸 거야?

개념적 변환들까지 배치하면
이제 보니 우리는 그동안 유(類)라는 것을 잘못 정의했던 것 같아. 바로잡아야 해.

새로운 개념의 출현도
새로운 유기체가 나타났어. 빨리 개념 정의를 해야 해.

기술의 활용도 편해질 거야.
이걸 분류하고 명명하는 데 어떤 기술이 필요할까?

이 모든 것을 여러 가지 자리에 배치할 수 있게 되는 거지.
언표

이처럼 고고학은 하나의 보편적 이상 아래 세워진 체계의 질서를 따르는 것도 아니고,
나야말로 이 세계의 모든 것을 설명할 수 있는 보편적인 원리라네. 나를 따르시게들~.
안 갈래.
고고학

하나의 목적을 향해 나아가는 연대기적 계기의 질서를 따르는 것도 아니란 걸 알 수 있어.
이 모든 계기는 필연적인 것들이야. 이것들을 겪어야만 목적에 이를 수 있어. 참고 견뎌야 해.
연대기적 흐름

고고학은 이론가들이 만들어 낸 보편적 원리라는 실타래를 헝클어 놓고
우리들은 이것을 보편적 원리라고 부르네.
생물 원리
우주 원리
자연 원리
기본 원리

사건의 흐름을 인과 관계로 고정시키는 것에 반대해.
사물 (원인)
현상 (결과)
계기
한 사물이 꼭 다른 사물의 현상의 원인이 되는 건 아냐.
고고

고고학은 시대를 동일한 규칙이 적용되는 시간의 블록으로 다루지 않아.
고고학
중세시대
한 시대와 시간의 흐름은 달라.

시대란 일정 시기에 특정하게 규정된 담론이 어떻게 실천되는가의 문제와 관련된 것일 뿐이야.
정신질환자인 내가 천재래.
예술가
천재!
천재.
중세시대

시대에 대한 푸코의 입장을 이해했다면

에피스테메에 대해 살펴볼 필요가 있어.
에피스테메
일반
지
식

에피스테메는 일정한 시대에 지식을 발생시키는 담론의 실천들이 맺을 수 있는 관계들의 집합을 말해.

담
론
시
대

이 관계들이 형성한 담론이 과학이나 철학 또는 공식화된 체계라는 갈래로 나아가 자리를 잡거나 수행되는 방식을 의미하기도 하지.
착!
담론
과학
착!
담론
철학

또는 서로가 일치하거나 어긋나기도 하는 시간적 지점을 가리키기도 하고,
개념
올라가 보자.
상위개념
여기쯤 인데….
지점

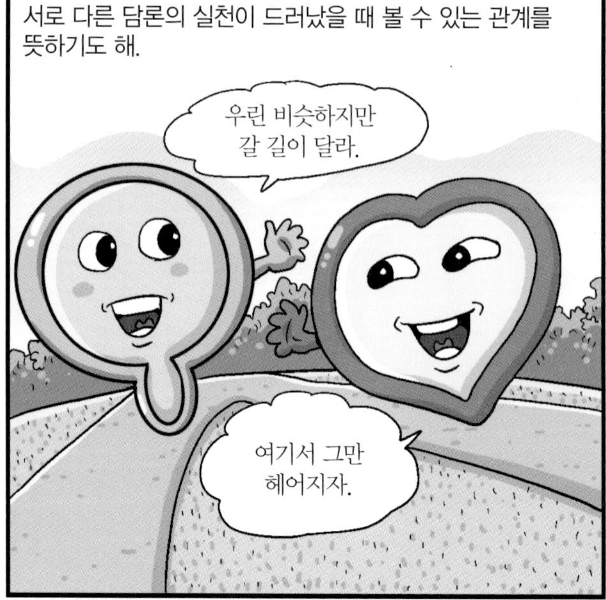
서로 다른 담론의 실천이 드러났을 때 볼 수 있는 관계를 뜻하기도 해.
우린 비슷하지만 갈 길이 달라.
여기서 그만 헤어지자.

에피스테메란 다양한 학문을 관통하는 하나의 주체도,
지식일반
역사
철학
종교
주체
무사히 통과했다.

한 시대의 통일성을 드러내는 인식의 한 형태도 아니야.
시대의 지식들을 다 관통하고 왔는데도….
시대의 대표성이 인정 안 된다고요?

우리가 흔히 에피스테메에 대해 떠올리는 세계관이나 가치관도 아니야.
그 시대는 그랬대.
그렇구나.

에피스테메는 결국 한 시대에 나타난 담론들을 분석할 때 알게 되는 관계들의 집합일 뿐이야.
에피스테메
뭘 더 바라세요? 저는 그 시대만 분석한다고요.
일반지식

그 시대를 사는 인간들이 당연하게 여겼던 생각이라는 건 옳지 않아.
우리 시대는 그게 상식이었어!

이처럼 고고학은 하나의 지식을 구성하는 규칙을 밝혀내는 학문이야.
지식의 규칙

따라서 고고학은 금지와 가치의 체계를 다룰 수도 있고,
그것을 다루는 책이 바로 《성의 역사》랍니다.

회화가 담당하는 담론의 실천에도 적용될 수 있어.

그 작업은 《이것은 파이프가 아니다》에서 해 보려고 했었죠.

다음 장에서는 고고학과 현대 철학의 핵심인 구조주의가 어떻게 다른지에 대해 알아보기로 할까?
가자, 다음 장으로!

10장 고고학을 넘어서

광기
권력
철학
이 성
인간 주체
지식의 고고학

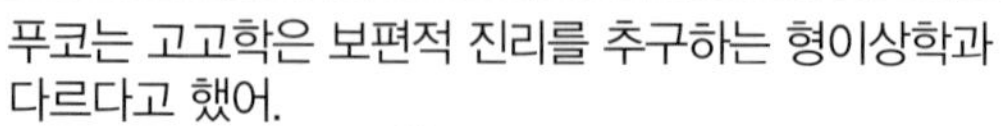

푸코는 고고학은 보편적 진리를 추구하는 형이상학과 다르다고 했어.

비슷하지만 우린 달라.
그렇구나.
고고학
형이상학

고고학은 모든 것을 하나의 목적 아래 설명하려는 역사주의와도 거리가 멀다고 했지.

역사학
학문
예술
과학
지식
고고학

또한 구조주의와도 다르다고 주장했어.

어떻게 다른지 볼까?

고고학과 구조주의는 어떻게 다를까?

고고학
구조주의
구조주의

이 질문에 대한 답을 알려면 먼저 구조주의가 무엇인지 알아야 해.

구조주의

구조주의(構造主義, le structuralisme)는 프랑스에서 시작된 철학 사상이야.
아함! 나왔다.
구
조
주
의

20세기 중반에 다양한 학문에 큰 영향을 끼쳤지.
바쁘다!
구
조
주
의
어머!
멋있다!

구조주의를 주장하는 학자들의 생각은 어떤 대상의 의미를 개별적 요소가 아니라 전체적인 체계 안에서 규정하고 이해해야 한다는 거야.
전체적인 틀 안에서 만들어야….
대
상
그렇죠.

구조주의의 인식과 방법론은 소쉬르(Ferdinand de Saussure, 1857~1913)의 언어학으로부터 시작되었다고 할 수 있어.
언어학

소쉬르는 인간의 언어 활동을 랑그(langue)와 빠롤(parole)로 구분했어.
이 두 가지로 설명할 수 있죠.
랑그
빠롤

빠롤은 개인이 언어 행위를 할 때 나타나는 개개의 언어 수행을 말해.
그것 참 좋은 생각이구나.

랑그는 개인이 말하기 위해 필요한 언어 체계 또는 언어 규칙을 말해.
그것: 무엇을 가리키다.
생각: 마음속에 있는 말.

랑그는 빠롤을 생성시키는 언어 능력이라고 할 수 있지.
랑그
주어+서술어 = 문장
나는 공부한다.

실제로 우리는 음성 언어나 문자 등을 이용해서 여러 형태의 소통 가능한 언어 활동을 해.

이런 일이 가능한 건 언어 공동체의 구성원들이 언어 체계의 규칙과 약속을 공유하고 있기 때문이야.

이때 랑그는 빠롤을 통해 구체적으로 나타나.
랑그
빠롤

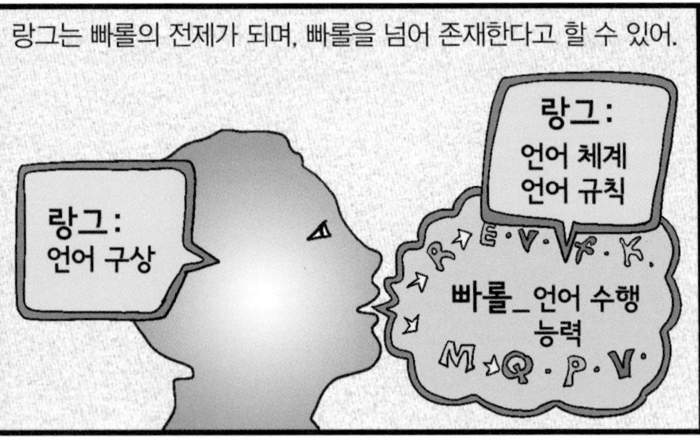
랑그는 빠롤의 전제가 되며, 빠롤을 넘어 존재한다고 할 수 있어.
랑그 : 언어 구상
랑그 : 언어 체계 언어 규칙
빠롤_언어 수행 능력

소쉬르는 언어란 '관념을 표현하는 기호의 체계'라고 말했어.
어떤 사물이나 현상을 말로 표현하는 거야.

소쉬르가 말한 기호(sign)는 기표(signifier)와 기의(signified)로 이루어져 있는데
기표
기의

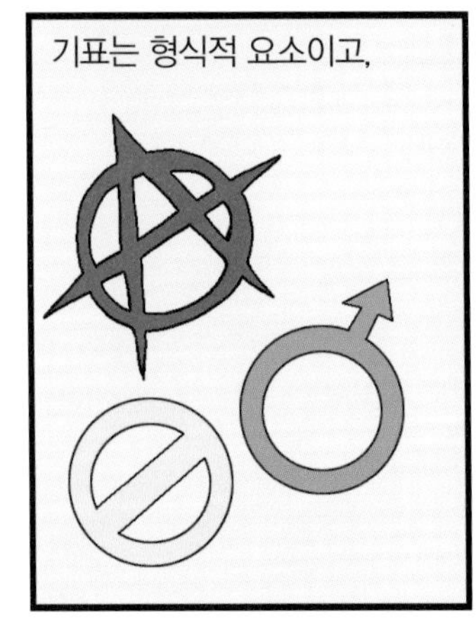
기표는 형식적 요소이고,

기의는 의미라고 할 수 있어.
너는 무슨 의미니?
내가 의미하는 건….

소쉬르는 기표와 기의 사이에는 어떤 필연적 연관성도 존재하지 않는다고 했어.
언어 의미
너희들은…
아무 사이도 아냐.

예를 들어 '개'를 생각해 보자.

'개'라는 낱말의 의미는 그것이 가리키는 대상으로 결정되는 것이 아니라
제가 '개'라고 불리는 것은 제 본성을 '개'라고 부를 수밖에 없기 때문이지요.
신께 여쭤 보세요. 틀림없어요.

전체적인 언어 체계 안에서 다른 낱말들과의 관계에 따라 결정된다는 거야.
멍멍아, 그게 아니란다. 매, 새, 게 등등의 단어가 있기 때문에 그것들이랑 겹치지 않는,
다시 말해 그것들과 차이를 갖는 낱말을 찾아 네 이름으로 정해 주었을 뿐이야.

소쉬르는 '기호'가 사물과 관계를 맺는 건 필연적인 이유가 있어서가 아니라
수소와 너는 필연적 관계가 아니야.
수소 기호

언어 체계 안에서 다른 기호들과의 관계에 따라 사물과 특정한 관계를 맺는다고 생각했어.
제가 연구한 논문에 의하면….
수소
질소

그러므로 기호의 의미는 전체 체계를 무시한 채 독립적으로 존재할 수 없다는 거야.
왜 나를 몰라주는 거야?
언어 체계 없이 기호 혼자서는 존재할 수 없어.

그래서 소쉬르는 언어를 역사적인 변화와 관련된 *통시적(diachronic)인 관점에서만 봐서는 안 된다고 주장했어.
과거에는 '어여쁘다' 라는 말이
'불쌍하다'란 뜻으로 쓰였고,
현재는 '예쁘다'란 말로 변모했지.
이렇게 시대에 따라 바뀐 점만 봐서는 안 돼.

* 통시적: 시간의 경과에 따라 나타나는 사물의 변화와 관련되는 것.

아니 우리는 왜
언어를 역사 속에서만
연구해야 합니까?

1700년
1900년
2000년
물론 하나의 용어가
17세기부터 지금까지
어떻게 변화해 왔는지를
살피는 일도 중요하지요.

그러나 지금 우리가
프랑스어라는 언어를
사용하는 이 공간에서
성공적으로 의사소통을
하기 위해서는 하나의
체계 또는 구조가
필요하다는 사실을
잊어서는 안 됩니다.

소쉬르는 오히려 *공시적(synchronic)인 관점에서 언어를 하나의 자기충족적인 체계와 구조로서 이해하고 연구해야 한다고 주장했어.
어느 한 시점(시대)의
관점에서 보편적인
언어학을 관점으로
연구해야 해.

* 공시적: 일정한 시기에 한해 나타나는 사물의 변화와 관련되는 것.

체계 또는 구조로 살펴본다는 것은 언어를 각 요소들의 상호관계를 통해 살펴봐야 한다는 거야.
모든 언어는
저마다 보편적인
언어 구조가 있어요.
우리가 의미를 전달하기
위해서는 언어 활동 이전에
같은 언어 구조를 공유하고
있어야 해요.

이렇게 해서 소쉬르는 언어학에서 구조주의적 인식의 기초를 만들었어.

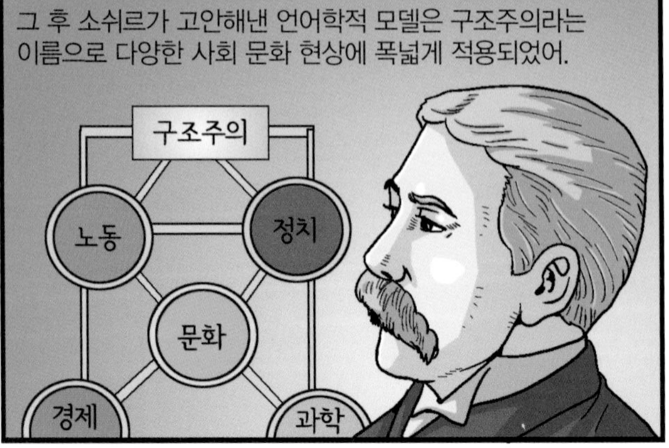
그 후 소쉬르가 고안해낸 언어학적 모델은 구조주의라는 이름으로 다양한 사회 문화 현상에 폭넓게 적용되었어.
구조주의
노동
정치
문화
경제
과학

구조주의 인식과 방법을 처음 인류학에 적용한 사람은 레비스트로스(Claude Lévi-Strauss, 1908~2009)야.

레비스트로스는 구조주의를 현대의 철학 사상에서 가장 영향력 있는 이론적 도구로 만들었지.
너의 가치를 높여 줄게.
구
조
주
의
철학사상

레비스트로스는 구조주의 방법을 활용해 신화와 상징, 친족 관계를 조직적으로 탐구했어.
왜 인간들은 사회를 이루게 되면 *근친혼(近親婚)이나 존속살해(尊屬殺害)를 금하는 것일까?

레비스트로스는 인류 사회, 더 나아가 인간 정신의 보편적이고 불변하는 구조를 밝혀내려 했어.
시간과 공간을 넘어 보편적으로 존재하는 규칙들이 있다는 사실은
아마도 인간 정신에 보편적으로 존재하는 어떤 구조가 있다는 건 아닐까?

* 근친혼: 8촌 이내의 혈족 사이에 혼인하는 것.

한편 라깡(Jacques Marie-Emile Lacan, 1901~1981)은 소쉬르의 언어학 모델을 프로이트의 정신분석학에 적용해 구조주의의 영역을 넓혔어.
프로이트는 정신분석에서 환자의 언어를 분석하는 게 기본이라고 했어. 그럼 나는 언어에 좀 더 매달려 볼까?

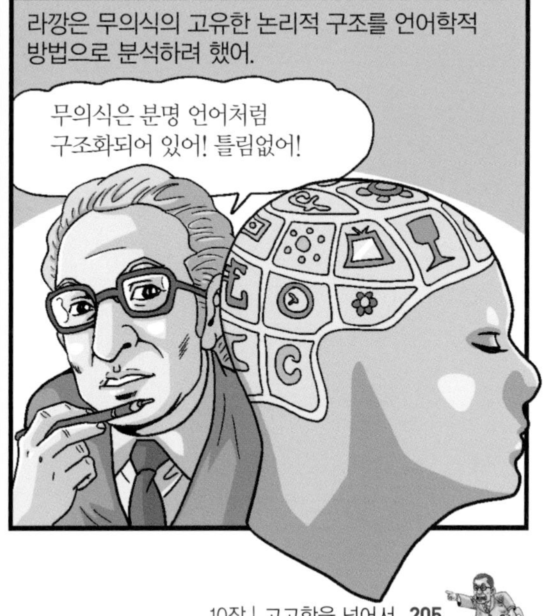
라깡은 무의식의 고유한 논리적 구조를 언어학적 방법으로 분석하려 했어.
무의식은 분명 언어처럼 구조화되어 있어! 틀림없어!

또한 인간은 성장해 가는 동안 상상계와 상징계를 거친다고 주장했지.

인간은 상상계에서 자신을 어떤 이미지와 동일시하는데, 이것은 언어를 구사하기 이전 시기에 해당해.
어린아이는 어떻게 해서 자신이 누구인지 알게 되는 것일까?
어…! 내가 저렇게 생겼나? 저게 나인 건가?
옹알
옹알

아, 저게 나구나. 난 지금까지 엄마의 가슴이나 내 손, 아니면 내 발이 나인 줄 알았는데….
머리랑 손, 발, 배…. 이게 다 함께 있는 게 나였어~.

하지만 언어를 완전히 습득하게 되면, 인간은 언어 질서가 지배하는 상징계로 들어선다고 했어.
나는 누구지? 우리 부모님의 자식인 동시에 ○○학교 학생이기도 하고,
○○ 동아리 일원이기도 하고, ○○ 학원 수강생인데다가….

라깡은 이 과정에서 인간의 무의식도 언어 질서에 영향을 받게 되는데, 그 결과 무의식도 언어처럼 구조화된다고 생각했어.
나는 모범생이고 싶어. 근데 나는 정말 모범생이 되고 싶은 걸까?
사회가 원하는 거니까, 사회 질서의 근간이 되는 언어 질서가 그걸 원하니까 나도 덩달아 그걸 욕망하는 게 아닐까?

푸코는 라깡의 주장을 받아들여 어떤 한 시대의 지식을 결정하는 일종의 체계가 있다고 생각했어.

설득력 있지?

연구할 만한 가치가 있어요.

푸코는 이 체계들이 비약과 단절의 구조를 통해 불연속적으로 전개된다는 것을 밝혀내려고 했지.

한 시대의 문화적 요소….
이걸 기본으로 연구해 보자.

푸코가 지식을 만들어 내는 언표와 담론의 규칙을 밝히려 했다는 점은 구조주의 학자들의 연구 방법과 매우 닮았어.

문화 체계를 하나로….
그 체계를 이루는 요소들의
구조적 관계를 밝혀내고….

그런데 푸코는 왜 자신의 논의가 구조주의와 다르다고 했을까?

연구 방법은 비슷하지만 논점은 달라요.

푸코는 '진리'라는 이름으로 당연시되어 온 지식이나 사고방식을 역사적으로 형성된 일종의 지층(地層)으로 간주했어.

푸코는 그 지층 안에 있는 것들을 말할 수 있는 것과 말할 수 없는 것으로 나누었어.

그런 다음, 특정한 언표를 옹호하거나 배제하는 매커니즘이 있다는 사실을 밝히려고 했어.

이 언표들이 제대로 작동하는지를 판단할 거야.

푸코는 그 매커니즘을
언어 구조와는 다르게
생각했어.
푸코의 매커니즘
한 사물에
언표를 붙이고
그것을
판단하는 것.
언어 구조와는
달라.

푸코는 그 매커니즘으로
인간 정신의 보편적 구조를
설명하거나
매커
니즘

무의식의 구조를 설명하려 하지도
않았어.
매커
니즘
무
의
식

앞에서 푸코가 인간의 언어는 물질적 성질을 갖는다고 말한 것을 기억할 거야.
언표를 떠올려 보세요.
이것들은 늘 좌표계나
일반적 규칙과 얽혀 있어요.
인간 언어는 추상적인
의미를 가지고 우리의
정신에 직접적인 울림을
주는 것이 아니랍니다.
목소리
문자
아~~
내일 신문
기호
지시

푸코는 인간의 언어 구조와 정신의 보편적 구조를
관련시켜 연구한 구조주의와 다른 길을 갈 수밖에
없었어.
구조주의
나의 연구
목적과는
길이 달라.

푸코는 인간의 삶을 틀 지우는 보편적 구조를 찾는 대신에
지식이 우리 삶에 구체적으로 어떤 작용을 하는지
탐구하려고 했어.
지식
삶

예를 들어 푸코는 지식과 권력 사이에
어떤 관계가 있음을 보여 주고자 했지.
지식
권력

학자들은 이런 방법론을 계보학이라고 불러.
계보학은 어떤 담론의
계보를 따져 그 기원으로
거슬러 올라가는
방법을 사용해요.
사실 이 방법론은
니체가 먼저 사용했던
것이기도 해요.

계보학은 니체로부터 시작되었다고 할 수 있어.
스타트!
계보학

계보학은 주체가 특정한 목적의식을 가지고 역사를 창조하며 조율해 나간다는 전통적 역사 철학의 입장을 거부해. 일종의 반(反)역사라 할 수 있어.
우린 계보를 따져.
전통 역사 철학
계보학

푸코는 니체의 이런 입장을 받아들여 단절과 불연속성에 주목했어.
담론
계보학
대상
불연속성 단절
언표

그래서 푸코는 광기, 질병, 성, 범죄 등 그동안 우리가 당연시하고 자연스러운 현상으로 여겨온 것들에 대해 깊이 고찰했어.
끄아앙.

푸코는 우리가 상식이라 여기는 것들의 발생 지점으로 거슬러 올라갔어.
상 식

푸코는 그것들의 기원을 드러내 그 기원의 가치에 의문을 가지고 이를 통해 권력 관계를 밝혀내려 했어.
광기
성
질병
범죄
기원

대표적인 예가 바로 감옥이야.

언제부터 사람들은 범죄를 저지른 사람을 감옥에 격리 수용한다는 사실을 당연하게 생각하게 된 것일까?

이처럼 당연하게 여겨지는 것, 즉 상식적인 것의 기원을 찾아 밝히는 것이 바로 계보학적 방법이야.

정신병
현재
계보학
과거
정신병 기원

아주 옛날에는 죄인을 처벌하기 위해 감옥에 격리하진 않았어.

실제적인 공포를 느끼게 해 범죄의 재발을 막으려 했지.

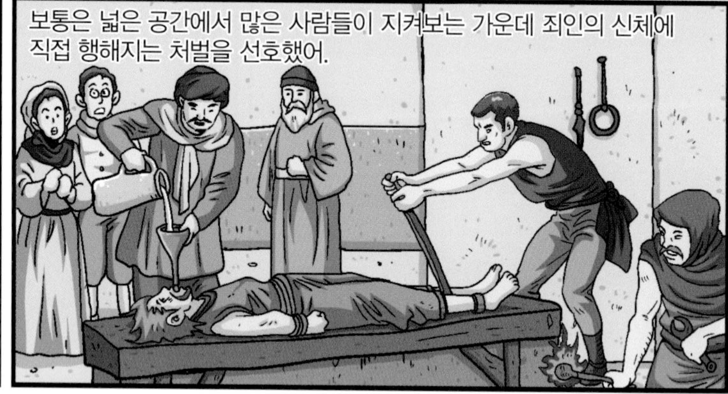

보통은 넓은 공간에서 많은 사람들이 지켜보는 가운데 죄인의 신체에 직접 행해지는 처벌을 선호했어.

그 후 18세기 계몽주의의 발흥과 함께 형벌 제도에 변화가 생겼어.
처벌이 너무 끔찍합니다. 죄를 미워할 뿐 인간을 미워할 수는 없습니다.
처벌을 인간화해야 합니다!

처벌의 인간화는 표면적으로만 관대할 뿐 사실상 처벌 효과를 극대화시키는 장치인걸! 이게 훨씬 효과적이란 말씀!
찡긋!

그렇게 19세기에 이르러서는 사법적 감금, 즉 범죄자를 감옥에 수용하는 형벌 제도가 생겼어.
5년 동안 반성해.
철컹

사법적 감금은 범죄자를 평가, 규정, 처방, 판단 등을 하는 행위들이 제도적으로 치밀하게 이루어졌음을 의미해.
살인죄 유죄
헌법 00조 ##항
규정
징역 5년형
구속

범죄자를 통제하는 가장 효과적인 수단은 범죄자에 대한 지식과 정보를 축적하여 이를 범죄자를 교화하는 데 사용하는 거야.
당신은 손재주가 좋으니 출소하면 수선공으로….
제가 잘 할 수 있을까요?
신상정보

사법적 감금은 겉으로 볼 때는 범죄에 대한 예방, 교정, 처벌의 권한을 사회로 돌리는 것처럼 보여.

교도소

사회

사회 안전을 위해 당신은 격리돼야 해.

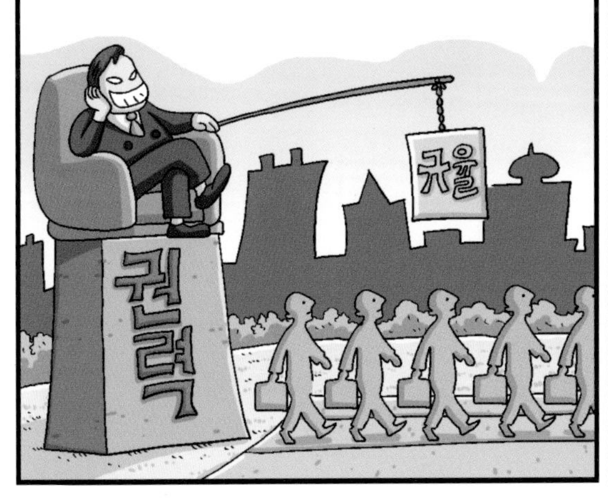
그러나 실제로는 규율의 내재화를 통해 권력이 쉽게 통제할 수 있는 표준화된 개인을 만드는 일에 이용돼.
규율
권력

오늘날 우리는 감옥뿐만 아니라 학교, 군대, 병원, 공장, 회사 등 모든 장소에서 표준화된 개인들이 되어 가고 있어.

규율을 내재화시키는 표준화 작업은 산업화를 거치면서 더욱 더 정교해지고 세련돼졌어.

우리가 사는 현대 사회 또한 표준화 작업들이 전 사회 영역을 관통하면서 사회 구성원들의 모든 것을 감시하고 통제하는 사회로 바뀌어 가고 있어.

우리가 처벌이나 감금을 당연한 일로 여기게 된 것은 무엇 때문일까?
나쁜 사람은 당연히 가둬야죠.

푸코는 사회가 우리를 그렇게 만들었기 때문이라고 했어.
우리 사회가요?
그래.

더 정확하게는 이 사회를 움직이는 권력이 우리로 하여금 그러한 것을 당연하게 여기도록 만들었기 때문이라고 했어.
법을 지키지 않는 시민들은 모두 가두겠다.
권력

이런 점에서 푸코의 계보학은 사회 전체에 대한 근본적 비판을 하는 학문이라고 할 수 있어.
반성해!
계보학

이런 연구 과정을 거치면서 푸코는 주체의 문제를 깊이 파고들었어.
꼭 밝혀 내겠어.

푸코는 권력에 의해 주체가 어떻게 형성되어 왔는지를 살펴보았어.
찾았다.
주체
권력
권력

그는 기존의 철학에서 제시한 주체 개념에 문제의식을 가졌어.
주체

사실 푸코의 작업은 시작부터 주체라는 문제와 깊이 연결되어 있었어.
고고학
계보학
권력 주체

푸코는 고고학이라는 방법론을 가지고 '지식을 가진 주체로서 우리는 어떻게 구성되는가?'라는 문제를 다루었지.
다시 말하자면 우리는 스스로의 의지를 가지고 지식을 습득한 후에 그것을 말하는 것이 아니라 이미 만들어진 지식이 우리를 통해 말해진다는 거예요.

푸코는 계보학을 활용하던 시기에 '권력 관계를 행사하기도 하고 그 앞에 복종하기도 하는 주체인 우리는 어떻게 형성되는가?'란 문제를 깊이 다루었어.
이 모든 것은 교육이라는 이름으로 아주 어릴 때부터 진행됩니다. 가족, 학교, 군대, 병원 등 모든 곳에서
우리는 지휘 또는 복종이라는 권력과 관계된 하나의 주체로 만들어지는 거지요.

같은 시기에 푸코는 '행위를 하는 도덕적 주체인 우리는 어떻게 만들어지는가?'라는 문제를 본격적으로 탐색하기도 했어.
권력은 우리를 표준화된 도덕적 주체로 구성하기 위해 지속적으로 감시하고 문제가 있는 개개인을 처벌하여 다시 표준화하려는 거랍니다.

푸코는 《말과 사물》(1966)이나 《지식의 고고학》(1969)과 같은 저술을 통해 '지식과 주체의 문제'에 대한 자신의 생각을 밝혔어.
우린 여태껏 인간이 지식을 습득하거나 만들어 내는 주체라고 생각했지만
저는 연구를 통해 완전히 다른 결과를 얻었어요.

이들 책에서 푸코는 우리가 어떻게 사물에 질서를 부여하는가에 대해 말했어.
우리가 생각하는 인간의 이미지는 기껏해야 최근에 우리의 문화에서 일어난 근본적인 변화의 결과일 뿐이라는 사실이죠.
19세기 이전에는 인간을 지식의 주체로 보는 시각은 아예 존재하지도 않았어요.

푸코는 우리가 지식 또는 앎이라 부르는 모든 것은 지식의 질서를 세우는 틀인 에피스테메와 언표들을 통해 만들어질 뿐, 우리가 사물에 질서를 부여하는 것은 아니라는 사실을 밝혀냈어.
시대
담론
언표
언표
언표
언표
에피스테메
지식
언표
사

지식 또는 앎이라 여기는 모든 것은 우리가 의식하지 못하는 사이 시간을 따라 전개되는 아프리오리(a priori, 경험하기 전에 미리 주어져 있는 어떤 것)로 결정됩니다.
모든 인식이 꼭 경험에서만 유래하는 건 아니야.

이것과 더불어 사회 구조, 그리고 언어 구조가 사물에 질서를 부여하게 되지요. 결국 주체로서의 인간이라든가, 자아라고 하는 관념은 허상일 뿐이랍니다.
질
서

결국 푸코는 '주체'라는 개념 자체에 반기를 들었어.

인정 못해.
사회주체

왜냐하면 주체의 본질을 밝혀내기 위해 모든 힘을 소진해 온 과거의 철학은 사실 '인간 주체가 지닌 흔들림 없는 이성과 그 이성이 행하는 언표' 라고 하는 기반 위에 세워진 것이었기 때문이야.

철학
언 표 언 표
이 성
인간 주체

그러나 지식의 기반이 되었던 언표가 결국 정신성이 아니라 물질성에 기반하고 있음을 밝힌 푸코는 '철학은 무엇을 해야 할 것인가?'라는 새로운 문제에 부딪쳤지.

멀뚱
철학

푸코는 지식이 권력과 결탁하여 담론을 움직이는 것을 계보학적 방법으로 분석하기 시작했어.

권력
악인은 감옥으로!
감옥!
감옥!
감옥!
지식

푸코는 《광기의 역사》(1961), 《감시와 처벌》(1975)과 같은 저술에서 권력의 문제점을 잘 드러냈어.
잘 생각해 보세요. 근대 사회는 그 자체가 하나의 거대한 감옥이에요.
거대한 감시와 처벌의 체계는 권력과 지식이 결탁해 운용되지요.

푸코는 책에서 '이성과 비이성을, 정상과 비정상을 나눈 다음 이성과 정상을 비이성과 비정상보다 우월한 것으로 여기는 것이 과연 정당한 것일까?'라는 문제를 심도 있게 다루었어.
광기, 범죄, 육체적 쾌락, 질병 등은 모두 비정상이고, 비정상이니까 안 좋은 거야. 이런 것들은 따로 모아서 교화시킨 다음 다시 정상으로 만들어야 해!
권력

푸코는 이러한 기준과 구별이 어떤 사회적·정치적 효과를 만들어 내는지 끈질기게 추적했어.
동성은 안 돼!
단속
현대로 오면서 권력은 훨씬 '근대화'된 '이성적' 성격을 띠고 일상의 문화와 언어에 침투해 은밀한 방식으로 우리를 지배합니다.
정부 비판은 안 돼!
검열

푸코는 권력이 자신에게 유리한 방식으로 지식을 만들어 내고 그것을 담론으로 만들어 확산시킨다는 것을 밝혔지.
정신 병원이나 감옥처럼 성의 문제도 마찬가지예요. 어떤 사회가 '정상'이라고 이름 붙인 성 관념을 벗어나는 것은 모두 '비정상'으로 매도합니다.
그런 후 그들을 곧바로 정신병자로 분류해서 감금하지요.

이처럼 권력과 지식은 떼려야 뗄 수 없는 복합체가 되어 당대 '지식의 기준'을 설정했어요.
규제
심의
지식
권력

권력은 정상과 비정상을 구분하는 '경계선'을 설정했고 경계선을 벗어나는 사상이나 행동을 통제하거나 억압하고 있어요.
넘어 왔어!
!
표현의 자유

푸코는 성(性)의 문제를 다루면서 권력과 지식의 관계를 확실히 보여 줬어.

푸코는 성에 대한 권력과 지식의 문제를 《성의 역사 1 : 앎의 의지》(1976)라는 책에서 심층적으로 다루었어.
그럼 권력이 성을 어떻게 담론으로 만드는지에 초점을 맞춰 볼까요?
성의 역사 1
앎의 의지

부모 – 자식, 선생님 – 학생과 같은 인간관계는 보통 힘의 논리가 작용해요.
너는 학생이고, 난 선생이야.

우리는 이것을 '권력'이라 부르지요.
당장 부모님 모시고 와!

보통 권력은 규율이나 윤리로 개인을 억압해요. 성 문제도 마찬가지입니다.
규율

지식적인 측면에서 우월한 입장에 있는 인간들은 소위 담론이라는 걸 만들어 내죠.
사랑은 욕망 욕정에서 출발…
우리는 그 담론에 사로잡혀 그 지식을 당연한 것으로 여기게 돼요.
성은 부끄러운 것이구나.

그 담론이 왜곡한 성은 새로운 형태의 욕망으로 태어나죠.
쉬-!

그들은 왜 성의 문제를 무의식 차원의 욕망으로 놓고 정신분석학의 대상으로 만들었을까요?

성은 비이성이자 비정상의 범주에 있기 때문에 개인이 이 부분을 통제해야 할 필요가 있고 그러기 위해서는 규율을 받아들여야 한다는 사실을 보여 주기 위한 것은 아닐까요?
크흠.

푸코는 《성의 역사 1: 앎의 의지》(1976)에서 성에 대한 담론이 어떻게 만들어지는지를 자세히 살폈어.

이를 통해 푸코는 권력 장치가 담론의 확산을 통해 성을 어떻게 왜곡할 수 있는지를 보여 주려고 했어.
성도 처음에는 억압받지 않았어.
성. 정신분석.
분석학자
내가 성을 판결해 주마.
재판관
성을 정신의학적으로 보면
정신 의학자
그 자유로움을 여러 전문가들이 이렇게 뒤튼 거야.

한편 푸코는 《성의 역사 2: 쾌락의 활용》(1984)에서 종교 교리 안에서 이야기되는 '도덕성'이 성을 어떻게 다루었는지 말하고자 했어.
어떻게 해서, 무슨 이유 때문에 성이 도덕의 영역에 속하게 되었을까요?

푸코는 '도덕성'의 문제를 살펴보면 성이 단순히 외부에 의한 억압이 아니라 '윤리적 주체'의 형성과 관련되어 있음을 알 수 있다고 했어.
스스로가 육체를 신중하게 배려하고 실천하는 것이 중요해.

우리는 개인이 어떻게 자신을 주체로 세우고, 주체로 인식하게 되는지 그 시점에 대해 먼저 생각해 봐야 해요.

우리가 스스로 행동 규칙을 받아들여야 성에 대한 이야기에 참여할 수 있어요. 행동 규칙이야말로 우리의 정신과 실천을 이어 주는 다리 역할을 하니까요.
행동
규칙

푸코는 우리가 지배적인 담론을 받아들여 자신을 주체라고 인식할 때 비로소 자신이 성의 주체가 된다고 했어.

교양

그는 우리가 성의 주체가 되었을 때 '도덕성'이 어떤 논리로 성을 변형, 왜곡시키는지도 알게 된다고 했어.

여성의 경우, 결혼 전의 도덕성이 그녀와 가족의 판단 기준인 동시에 억압이 되는 거지.

푸코는 《성의 역사 2》에서 종교적인 행동 규칙인 도덕성이 우리 안에 자리 잡아 스스로 성을 억압하게 되었음을 보여 준 다음에,

순결
도덕성
사회

《성의 역사 3 : 자기에의 배려》(1984)를 통해 개인 스스로 욕망을 절제하는 방식을 보여 주고자 했어.

성의 역사
3
자기에의 배려

성이라는 욕망을 가진 자아는 욕망을 드러내는 것을 다양한 방법으로 절제, 실천할 수 있어요.

지극히 개인적인 영역에서 이 문제를 보자면, 성은 자아 안의 쾌락으로도 볼 수 있어요.

하지만 자기 연마를 통해 스스로 절제할 수도 있을 거예요.

성찰
명상
호흡

우리는 권력과 지식이 만든 주체이지만, 스스로를 잘 이해하고 살펴서 권력이 아니라 스스로가 나 자신을 통제할 수도 있다는 것을 보여 주고 싶었어요.

고대 그리스인들은 실제로 자신의 쾌락을 추구하기도 했지만 절제할 줄도 알았지요.

취미와

스포츠로 절제.

푸코의 마지막 저서인 《성의 역사 3》은 사실 1, 2권을 보완하는 작업이기도 해.
성의 역사 2
쾌락의 활용
성의 역사 3
자기에의 배려

따라서 《성의 역사》 2권과 3권은 성과 권력의 관계라기보다는
성의 역사 2
쾌락의 활용
성의 역사 3
자기에의 배려

성과 개인의 관계가 핵심적인 탐구 주제라고 보는 게 옳을 거야.

지식의 대상, 권력의 대상, 윤리의 대상으로서의 주체가 어떻게 형성되는가에 관한 푸코의 연구는
지식의 대상
권력의 대상

후기에 접어들면서 구성된 주체가 아니라 스스로 구성하는 주체, 즉 창조적 주체라는 것이 가능할 수도 있다는 것으로 전환됐어.
창조적 능력과 상상력을 강조하여 창조적 주체, 자유로운 개인을 핵심으로 삼는 학문이야.
창
조
적
주
체

푸코의 입장 변화에 따라 그가 말하는 주체는 더 이상 권력이 만든 구성물에 머물러 있지 않았어.
다양한 곳에 주체들이 존재해.

푸코는 주체란 권력에 의해 만들어질 뿐이라는 결정론적 관점도 거둬들였어.

찌이익!

권력

주체

푸코의 관심은 개인이 어떻게 스스로 주체성을 변화시킬 수 있는지로 모아졌지.

그렇게 푸코의 중심 연구 주제는 개인의 자유와 자율성이 되었어.

푸코는 결국 주체라는 고전 철학의 주제로 되돌아온 것일까?

이에 대한 판단은 푸코를 충분히 공부한 후에 내려야 할 우리들의 몫이야.
지식의 고고학

계급투쟁

17세기~19세기 철학의 흐름

'주체' 개념을 중심으로

19세기 중엽, 산업화가 본격적으로 진행되면서 자본주의의 폐해가 드러나기 시작했어요. 동시에 '주체'와 '이성'의 개념에 대해 달리 생각하는 철학자들이 등장하게 되었죠. 산업화의 원동력이 되었던 주체나 이성이 실제 산업화된 사회 속에서 인간의 삶에 이토록 부정적 결과를 초래하게 된 까닭에 대해 반성해 보려는 철학자들이 나타나게 된 거예요. 마르크스나 니체, 프로이트, 베르그송과 같은 철학자들이 기존의 주체 개념과 이성 중심주의와 다른 주장을 펼쳤던 철학자들이랍니다. 그들은 사람의 생각이나 행동은 사회적 상황이나 심리적 원칙에 따라 결정되는 것일 뿐, 결코 각자가 가진 자유나 주체의 의지대로 되는 것이 아니라는 것을 밝혀냈어요. 이러한 입장은 20세기 철학과 현대 사상에 큰 영향을 주었죠. 특히 프랑스에서 전개되었던 철학은 이성 중심주의를 반대하고 주체 개념을 비판하는 쪽으로 나아갔답니다. 여기서는 '주체' 개념을 중심으로 나누어진 철학자들의 생각을 알아보도록 해요.

'주체성이 있다', '주체적이다', 혹은 요즘 유행하는 '자기 주도적이다'라는 말까지. 여기서 주체란 무엇일까요? 사실 자신이 쓰는 말의 정확하고 구체적인 뜻을 아는 경우는 그리 많지 않아요. 아무리 일상적으로 쓰는 말일지라도 대략적인 뜻을 알고 있을 뿐, 그 용어 하나하나에 담긴 의미나 개념을 완벽하게 이해하기란 쉽지 않죠.

그렇다면 주체라는 용어를 철학적 관점에서 좀 더 생각해 볼까요? 철학이 문제시하는 개념들이 모두 복잡하고 어렵긴 하지만 주체 개념만큼 다루기 힘든 개념도 드물어요. 왜냐하면 어떤 철학자들은 주체의 개념을 철학의 기본으로 삼는 반면(데카르트), 어떤 철학자는 주체의 개념이 거짓된 것(니체)이라고 반박하는 이도 있거든요. 어떻게 하나의 개념에 대해 이처럼 반대되는 입장이 있을 수 있을까요? 과연 철학자들의 생각은 어떻게 다른 걸까요?

17~18세기 - '주체'는 철학의 기본(데카르트·칸트)

잘 알려진 것처럼 데카르트는 '나는 생각한다. 그러므로 나는 존재한다.'라는 명제를 '절대 부동의 진리의 기초'로 삼았어요. 그리고 '사유하는 나'를 모든 인식의 기초로 삼는 데카르트의 논의를 받아들인 사람은 칸트예요. 그는 인간의 이성이 갖는 특성인 자율을 자신의 철학 이상으로 삼았답니다.

그 결과 칸트는 '내가 자신의 주인이므로 내가 무엇을 생각하고 무엇을 행하더라도 그것은 자유'라는 원칙, 즉 자아 중심적 원칙을 수립하게 되었죠. 이를 바탕으로 전개된 17~18세기 철학은 모든 것을 인간의 이성이라는 기준으로 살펴보기 시작했답니다.

칸트

19세기 - '주체'는 허구(니체)

주체라는 개념은 거짓이라고 말한 니체는 '주체의 죽음'이라는 논의의 선구자라고 할 수 있어요. '주체는 주어진 것이 아니라 만들어져 첨가된 것, 그 뒤에 숨어 있는 것이다(《권력 의지》 ∮ 481)', '주체는 허구다(같은 책, ∮ 485)'라고까지 얘기했죠. 니체는 '생각이란 내가 원해서 오는 것이 아니라 "그것(생각)"이 원해서 오는 것이며, 우리가 하는 행위나 어떤 작용, 또는 생성의 배후에는 그 어떤 것도 앞서 존재하지 않는다'고 말했어요.

대개 우리가 말을 하거나 어떤 행동을 할 때, 그 말이나 행동을 스스로 생각해서 결정한 다음 실행하는 것이라 믿고 있어요. 하지만 니체는 그 믿음이 단순한 상상의 산물, 즉 허구일 뿐이며 일어나고 있는 행위가 전부라고 생각한 거죠. 철학의 입장에서 말하자면 니체는 데카르트가 주장한 인식 주체는 물론 행위 주체까지도 거부하는 셈이랍니다. 실제로 '주체는 허구'라는 니체의 선언은 주체라는 개념의 발생 과정을 염두에 두고 있어요. 니체는 인간이 주체라는 개념으로 허구화되는 과정의 발단을 데카르트에게서 찾았거든요.

계급투쟁

관념론과 경험론

철학을 하는 사람들은 보통 세계에 존재하는 것들, 다시 말해 존재자들에 대한 설명을 제공하려고 해요. 하지만 존재자들을 설명하는 이론은 철학자들이 취하는 입장에 따라 다양하죠. 이 이론들은 크게 세 개의 범주로 나누어 살펴볼 수 있는데, 바로 관념론, 경험론, 그리고 실재론이에요.

일반적으로 관념론을 따르는 이론가들은 인간의 정신에 대해 독립적으로 존재하는 존재자들이란 있을 수 없다고 주장해요. 이에 반해 경험론자들은 직접 관찰할 수 있는 존재자들이 마음(정신)에 대해 독립적이며 이들이 우리에게 일정한 관념을 불러일으킨다고 말한답니다. 마지막으로 실재론자들은 감각으로 직접 느낄 수는 없지만 이 세계에는 여러 유형의 존재자들이 있다고 주장해요. 이때 이들은 자율적인 방식으로 존재한다고 설명하죠. 하지만 17세기 이후 인식론의 흐름에서 주로 논의되었던 건 관념론과 경험론이랍니다.

관념론

© 위키
헤겔

관념론(idealism, 觀念論)은 관념 또는 관념적인 것을 실재적 또는 물질적인 것보다 우선으로 보는 입장을 말해요. 경우에 따라서는 실재론 또는 유물론에 대립하는 용어로 사용되기도 하지만 일반적인 의미에서 관념론이란 물질적 세계의 본모습을 설명하려 했던 인식론적 입장을 주로 지칭하는 용어예요. 관념론은 몇 가지 입장으로 설명되는데 첫째, 주관적 관념론을 들 수 있어요. 이것은 물질적 세계를 인간이 세계에 대해 가지는 관념으로 환원시켜 설명하려는 입장이에요. 버클리의 이론이 대표적이죠. 또 다른 입장의 물질적 세계는 인간에게 선험적으로(a priori, 先驗的) 주어진 인식의 여러 형식에 따라 구성된 것이라고 보는 거예요. 이 입장은 우리에게 인식의 대상이 되는 것은 객관적 타당성을 가진 '현상'일 뿐, 이 현상의 배후에 참다운 실재로서 존재하는 것은 우리의 인식 능력을 넘어선 지점에 있다고 주장해요. 따라서 이 입장은 현상의 배후에 있는 참된 실재를 '물자체(物自體)'로 상정하고 인간은 그것을 인식할 수 없다고 설명하고 있죠. 결국 이러한 설명은 물자체를 인식할 수 없는 인간 인식 능력의 한계를 지적하는 것으로 논의될 수 있는데, 이것이 바로 칸트의 비판적 관념론이랍니다. 마지

막으로 절대적 관념론이라 불리는 입장이 있어요. 이것은 물질적 세계가 독립적으로 존재한다고 보지 않는다는 점에서는 앞의 두 입장과 같아요. 하지만 물질적 세계가 그 자체로 객관적 관념이거나 혹은 정신이 전개된 것이라고 설명하고 있어요. 이러한 입장의 전형이 바로 헤겔의 관념론이죠. 사실 관념론은 헤겔과 함께 극단으로 치닫게 되면서 현실을 제대로 설명하지 못하는 이데올로기가 되고 말았다는 비판을 받았답니다. 그렇지만 관념론이 인간의 인식작용을 밝힘으로써 인간의 실천 행위(도덕적 행위)를 잘 설명하려 했던 의도를 가지고 있었다는 점은 관념론이 인간이 처한 현실을 외면하지 않았음을 보여준다고 할 수 있어요.

경험론

경험론(empiricism, 經驗論)은 관념론과 달리 인식의 근거를 경험에 두는 인식론이에요. 경험론의 시작은 유물론의 시각에서 비롯되었어요. 고대 그리스의 자연철학자, 소피스트(sophist), 원자론자, 소크라테스파(派)의 일부(퀴닉파 · 키레네파 등), 에피쿠로스학파 등이 이러한 입장에 속하죠. 하지만 근대에 접어들면서 과학의 발전과 더불어 경험적 사실이 중시되고, 또 인식론이 철학의 중심 과제로 자리 잡게 되자 인간의 과학적 인식을 설명하려는 철학적 고찰이 나타나게 되었답니다. 특히 영국의 경험론은 대륙의 합리론이나 독일의 관념론 등과는 대조적인 성격을 띤다고 할 수 있어요. 영국 경험론은 관찰과 실험을 중시하고 개별적 경험에 근거한 연역적 추리를 특징으로 하는 귀납법을 제창한 베이컨에 의해 자리 잡았어요. 이러한 경향은 홉스와 로크를 거쳐 버클리와 흄으로 계승되어 영국 경험론의 위상을 드높였죠. 영국 경험론은 18세기에 프랑스에 유입되어 프랑스 계몽사상, 특히 프랑스 유물론으로 자리 잡게 되었는데, 이러한 흐름이 이후 대혁명이라는 세계사적 사건의 사상적 근거가 되기도 했답니다.

베이컨

계급투쟁

구조주의와 후기구조주의

구조주의

구조주의(structuralism, 構造主義)는 1960년대에 마르크스, 하이데거, 프로이트 등의 견해에 대한 비판적 검토를 통해 프랑스에서 새로이 형성된 철학 사상의 흐름을 말해요. 당시 프랑스의 정세가 혼란스러워 많은 프랑스인들은 자신들의 삶의 질에 대해 불만이 많았어요. 그들의 눈에 정부와 정당은 한없이 무능해 보였고, 이에 대한 대안을 제시해야 한다고 외치던 좌파 지식인이나 마르크스주의자를 자처하는 공산주의자들마저도 아무런 해법을 내놓지 못하는 상황이었죠. 이에 젊은 지식인들은 기존의 사유에 대해 반성해야만 했어요. 그들은 마르크스주의나 실존주의 등 이제까지의 사상적 · 사회과학적 업적을 근본적으로 재검토하여 그 사상들이 과학적이지 않았다는 비판을 한 다음, 철저하게 과학적인 철학의 기반을 마련하려고 했던 거죠. 그렇게 해서 태어난 새로운 조류가 바로 구조주의랍니다. 하지만 구조주의가 내용상 실존주의나 마르크스주의와 같이 명확한 형태를 갖춘 사상적 경향이라고는 말할 수 없어요. 굳이 이러한 경향의 특징을 이야기하자면, 사회를 하나의 구조로 보고 인간을 구조와 그것의 시스템이 만들어 낸 결과물로 여긴다는 점이에요. 인류학자 · 사회학자인 레비스트로스, 철학자 푸코, 정치철학자 알튀세르, 정신분석학자 라깡 등이 구조주의에 속한 주요 사상가들로 여겨지고 있어요.

하지만 이들 사이에서도 통일된 의견을 찾기 어려워요. 특히 푸코와 라깡은 이후 사회를 단일한 구조로 보는 구조주의에 대한 회의로 인해 구조주의를 넘어서려는 시도를 한답니다. 이러한 시도가 바로 후기구조주의 또는 포스트구조주의라 불리는 입장이죠.

후기 구조주의

이처럼 구조의 단일성에 반대하는 후기구조주의(post-structuralism, 後期構造主義) 또는 포스트구조주의는 구조의 역사성과 상대성을 강조하는 경향을 띠게 돼요. 구조를 선험적 · 보편적인 것으로 생각했던 구조주의와는 달리 특이성을 강조하는, 이러한 경향의 사상가들은 인간이 특이성의 장(場) 안에 있으므로 사회는 작고 특이한 구조들로 이루어진 관계들일 뿐이라고 주장해요. 다시 말해 세계는 놀이로 작동되는 다수의 작은 구조들로 이루어졌다는 거죠. 이러한 입장을 가진 사상가들로는 중기

이후의 푸코와 라깡, 데리다, 들뢰즈 등을 들 수 있어요. 이들은 인간이라는 존재가 자신의 의지로 스스로의 본질을 구현해 갈 수 있다는 주체주의와 인간은 태어나는 순간 이미 구조가 결정한다는 구조주의 양자의 한계를 지적하고 그에 대한 대안을 제시하려 했어요. 이 때문에 일반화될 수 없는 특이성의 문제가 생겨났죠. 쉽게 설명하자면, 축구 시합은 승자와 패자를 결정하는 것을 원칙으로 해요. 우리 모두는 그 사실을 알고 있고, 이 같은 원칙 때문에 축구 시합 자체를 무의미하다고 생각하지는 않아요. 우리가 의미를 두어야 할 것은 시합이라는 일정한 틀 안에서 무수히 발생하는 구체적인 차이예요. 드리블을 해서 어느 쪽으로 돌파할 것인지, 파울을 이끌어 낼 것인지, 아니면 완벽한 세트플레이를 보여 줄 것인지 등등. 이러한 것들은 일반화되거나 추상적으로 설명하기 힘든 것들이죠.

그럼 포스트모더니즘(포스트 구조주의)이란 무엇일까요? 철학에서의 포스트모더니즘은 정통성을 가진 것이라 여겨지던 기존의 철학, 즉 형이상학에 대한 비판에서 출발해요. 비판의 구체적 대상은 형이상학의 근거가 되는 것들, 다시 말해 로고스중심주의, 이분법, 합리성, 체계 등이에요. 더 나아가 그들은 형이상학의 근거로부터 도출된 현실적 가치들, 즉 표준화된 일체의 규범, 코드화된 모든 가치들 또한 비판하고 있어요. 기존의 현실적 가치들이 우리 삶에 영향을 주게 되면 우리는 획일화된 사고, 동일한 판단의 기준을 갖게 되고 그 결과 개개인들 사이에 존재하는 차이를 부정적인 것으로 여길 수밖에 없어요. 그렇게 되면 우리가 지금 사회적 문제로 여기는 것들, 말하자면 남성과 여성의 불평등이나 성적 소수자들의 문제, 또는 장애인들에 대한 편견 같은 문제들을 해결할 수 없어요. 포스트모던한 사유의 고마움은 우리가 차이를 새롭게 이해하고 불일치에 대한 관용을 갖고 애매성을 극복의 대상으로 보지 않고 변화를 긍정할 수 있게 한다는 데 있어요. 우리가 이러한 태도를 갖게 될 때 여백이나 행간, 틈새나 뒷장으로 밀려난 주변부들을 선입견 없이 공정하게 바라보게 되지 않을까요?

계급투쟁

데카르트의 방법적 회의란 무엇일까?

데카르트는 방법적 회의를 통해 보편타당한 인식을 마련할 수 있으리라는 믿음을 갖고 있었어요. 그가 말하는 방법적 회의란 확실한 인식 체계를 구축하기 위해 불확실해 보이는 모든 것을 의심하여 절대적으로 확실한 토대를 마련한 다음, 그 위에 확실한 인식을 쌓아 가는 방법이에요.

그의 저서인 《방법서설》(1637)에서 데카르트는 서로 다른 두 차원의 방법적 회의에 대해 말하고 있어요. 그중 하나는 기존의 불확실한 학문 전체를 허물고 확실한 철학, 즉 형이상학의 토대 위에 확실한 인식 체계로서의 보편 학문 체계를 구축하는 거예요. 이를 위해 기존 학문과 선례와 관습 모두를 의심하는 거죠. 또 다른 차원의 방법적 회의는 확고한 토대 위에 좁은 의미의 철학, 즉 형이상학을 구축하기 위해 불확실한 모든 것을 의심하는 회의를 말해요. 두 가지 방법적 회의 모두 불확실한 것을 제거하고 확실한 토대를 마련하고자 한다는 점에서는 동일하지만 전자의 방법적 회의는 학문 일반을 대상으로 하는 이성의 올바른 사용 규칙에 해당되는 데 반해, 후자의 방법적 회의는 형이상학을 탐구하는 방법에 해당되죠. 일반적으로 데카르트의 방법적 회의라 하면 후자의 방법적 회의를 지칭한답니다.

데카르트의 방법적 회의

그렇다면 데카르트가 말하는 방법적 회의란 어떤 것일까요? 데카르트는 확실하고 명증한 인식을 얻기 위해서는 일체의 선입견을 버리는 동시에 앞으로 일어날지도 모르는 의혹을 미리 예방해야 한다고 생각했어요. 그러기 위해서는 조금이라도 불확실하다고 생각되면 모조리 의심해야 하는데, 때로는 수학적인 진리마저도 의심해야 한다고 했죠. 하지만 데카르트의 회의는 의심을 위한 의심이 아니라 확고부동한 진리를 얻기 위한 의심이라는 점을 분명히 해요.

© 위키
데카르트

데카르트는 모든 사물에 대하여 의심할 수 있고, 또 의심해야 한다고 주장했어요. 그러나 모든 것을 의심한다 하더라도, 의심하고 있는 우리 자신의 존재가 있다는 사실만은 의심할 수 없다고 생각했어요. 이에 덧붙여 데카르트는 회의한다는 것은 사유하는 방법의 하나라고 말했어요. 그 결과 데카르트는 '나는 생각한다. 그러므로 나는 존재한다(Gogito ergo sum)'라는 유명한 명제를 '절대, 부동의 진리의 기초'로 삼게 되었던 거죠. 이처럼 내가 존재한다는 것은 내가 그렇게 의식하고 있다는 것, 즉 내가 사유하고 있다는 사실과 함께 주어진다는 것을 의미해요. 데카르트의 말을 따라가 보면 사유한다는 사실이 나와 나의 존재를 뒷받침해 주는 근거가 되는 셈이죠. 이런 의미에서 데카르트는 '나는 엄밀히 말해서 생각하는 것, 즉 하나의 정신, 하나의 지성 또는 하나의 이성에 다름 아니다'라고 주장했답니다.

그런데 만약 인간이 정신(지성 또는 이성)과 같은 것이라는 데카르트의 주장을 따른다면 곤란한 문제에 부딪히게 돼요. 바로 인간 신체의 문제죠. 현존하는 인간은 정신과 더불어 신체를 가지고 있지만 데카르트의 설명을 따르자면 신체는 정신이 아니기 때문에 주체에는 속할 수 없는 어떤 것, 즉 데카르트적 주체 개념에 부합하지 않는 것으로 남게 되거든요. 여기서 데카르트적 자아의 분열을 보게 돼요. 데카르트의 '자아'는 물질적 세계와 정신으로서의 자신을 분리하죠. 그리고 오직 사유 속에서 자신의 존재를 확인함으로써(인식의 관점에서) 스스로를 보장할 수 있게 되는 데 반해 신체는 세계 속에 남아 있는 것(경험의 관점에서)에 불과한 것일 뿐인 거죠. 데카르트도 이러한 문제를 알고 있었어요. 그는 인식 주체를 중심으로 신체와 대상으로서의 세계를 극복하려 했고, 이러한 문제는 후대의 철학자들(특히 칸트)에게 해결해야 할 과제로 남았답니다. 정신을 중심으로 신체를 극복하려는 형이상학의 시도는 현대 철학자들에게 철저한 비판의 대상이 되었죠.

계급투쟁

푸코 철학에 영향을 준 니체

푸코의 철학은 여러 명의 철학자들의 영향을 받아 발전했어요. 그중 푸코의 사유 방식에 가장 큰 영향을 준 이는 바로 니체랍니다. 실제로 현대 프랑스 철학에서 니체의 영향은 매우 컸죠.

니체의 영향 - 주체의 개념과 계보학적 방법론의 계승

푸코가 설파하는 '주체의 죽음'이라는 논의를 가만히 살펴보면 주체 개념을 비판하는 니체의 입장을 받아들이고 있다고 말할 수 있어요. 하지만 푸코는 주체 개념을 비판하는 데에 그치지 않고 니체의 방법론을 계승해 현대 사회를 분석하는 데에도 이를 활용했어요. 이것이 바로 '계보학'이라는 방법론이죠. 사실 계보학은 니체가 그의 저서 《도덕의 계보》(1887)에서 사용했던 방법론이랍니다. 니체는 우리가 정당한 것으로 여기는 어떤 가치가 어떻게 생겨났는지를 살펴보기 위해 그 가치가 생겨나게 된 역사적 조건을 따져 보고, 그 배후를 밝히려고 했어요. 물론 문제가 되는 가치는 당시 상황에서 이미 일반화된 것이었기 때문에 니체는 그 가치가 생겨나고 자리 잡게 되었던 최초의 상황으로 거슬러 올라가 그것이 만들어지게 된 조건을 일일이 따져 봐야 했죠. 그렇다면 니체로부터 물려받은 계보학적 방법론을 토대로 푸코가 작업한 《감시와 처벌》(1975), 《성의 역사》 제1권(1976)에서 그가 말하려고 했던 것은 무엇이었을까요?

니체

푸코는 보편적 지식이라 불리는 것들이 담론으로 만들어지고 보급되며, 담론은 힘(권력)과 특정 지식이 결탁하여 작동되는 것임을 보여 주려 했어요. 이것은 주체 개념을 설명할 때에도 그대로 적용된답니다.

'신은 죽었다' - 《도덕의 계보》

니체가 《도덕의 계보》에서 수행했던 작업은 바로 도덕이라는 것이 어떻게 생겨나서 '도덕적'인 행위들이 '좋음'이라는 가치를 확립하게 되었는지를 따져 보는 일이었어요.

이에 대해 좀 더 자세히 살펴볼까요? 일반적으로 기독교 문화권에 살고 있는 사람들이 선행을 권장하는 데는 신이 큰 역할을 한다고 할 수 있어요. 어려운 상황에 처한 이를 돕는 것은 좋은 일이지만 누구든지 자신의 손익을 따지지 않고 선행을 베풀 수 있었던 건 '사후에 천국에 가기 위해서'라는 이유가 가장 컸을 거예요. 이처럼 당시 현실 세계 밖에 존재하는 신은 우리가 현실 세계에서 선을 행해야 하는 이유로 여겨졌답니다.

하지만 니체는 선과 악을 구별하는 참된 원인은 현실 세계의 힘의 관계에 있다고 말했어요. 어떤 강대한 힘을 가진 민족이 평화롭게 사는 약소민족을 습격하여 정복할 때를 상상해 볼까요? 싸움의 승자는 패자의 재산을 강탈해 떠나 버리고, 살아남은 사람들은 아무런 해를 가하지 않은 자신들을 습격한 승자를 악인으로 간주하고 저주하게 돼요. 이처럼 상대를 악인으로 규정하고 나면, 그들에 비해 죄가 없는 자신들은 선한 사람이 되는 거예요. 이를 다시 힘의 관계로 보면 선과 악은 힘으로는 상대가 되지 않아 원한을 갖게 된 약자가 도덕적으로라도 우위에 서서 강자인 상대를 내려다보려는 심리적 요인 때문에 만들어졌다고 할 수 있어요. 정의, 절제, 근면, 청빈 같은 도덕적 가치도 마찬가지예요. 결국 니체는 약자(노예)가 강자(주인)로부터 스스로를 보호하려는 본능에서 나온 것이 '노예 도덕'이며, 노예들에게 쉽게 보급되어 위세를 떨쳐온 노예 도덕이 바로 기독교라고 주장해요. 자신을 보호하려는 심리적 요인으로부터 만들어진 선·악의 가치를 유지하기 위해서는 뭔가 그럴듯한 체계를 만들어야 했고, 이러한 필요에 의해 세워진 것이 바로 신이라는 거죠. 만일 신이 선 · 악과 관련되어 만들어진 가상(假像)이라면 신이라는 존재는 허구일 뿐이에요. 때문에 니체는 '신은 죽었다'고 선고한 것이랍니다.

계급투쟁

푸코 철학의 흐름과 변화 ①

고고학적 시기

푸코가 그의 사유 전체를 통해 보여 주려 했던 것은 과연 무엇이었을까요? 푸코의 철학은 크게 세 흐름으로 나누어 설명할 수 있어요. 첫째, 인간의 이성이 만들어 낸 문명이 인간 스스로 의식하지 못하는 수준의 인식 활동을 조건 짓는 어떤 것(에피스테메)에 따라 만들어진 지식 위에 세워진 것임을 지적하는 고고학적 시기의 작업을 들 수 있어요. 둘째, 계보학적 시기의 작업에서 푸코는 지식이 권력과 결탁해 담론으로 작동해 왔다는 것을 보여 주려고 해요. 동시에 인간에 대한 기존 이해가 담론이라는 외부적 잣대로 인간을 평가하려는 것이었음을 분석한 푸코는, 인간이 외부적인 규제로부터 벗어나 스스로의 삶을 구성해 가는 새로운 지평을 열어 보이려고 했습니다. 이것이 바로 마지막 시기인 윤리학 시기의 작업이랍니다. 그럼 이러한 흐름으로 전개되는 푸코의 사상을 저서 중심으로 살펴보기로 할까요?

고고학적 시기

고고학적 시기의 대표적 저서인 《말과 사물》의 서문에서 푸코는 어떤 '중국 백과사전'의 예를 들었어요. 중국의 백과사전에는 동물을 ① 황제에게 속하는 것, ② 향료로 처리하여 방부 보존된 동물, ③ 길들여진 것, ④ 식용 젖먹이 돼지, ⑤ 인어(人魚), ⑥전설상의 동물, ⑦ 주인 없는 개 등으로 분류하고 있어요. 이러한 분류는 서양인 입장에서 보면 엉뚱해서 웃음이 나거나 마땅치 않아 불편한 마음이 들 수도 있을 거예요. 왜냐하면 중국의 백과사전이 보여 주는 분류법은 아리스토텔레스나 린네의 분류법에 길들여진 서양인들에게는 터무니없는 것으로 보일 거거든요.

푸코는 만일 동·서양의 지식이 서로 다른 것이라면, 지식이라고 하는 것이 영구불변하는 진리가 아니라 지금 우리가 가지고 있는 사고방식에 따라 다르게 구성될 수 있는 것은 아닐까 하는 의구심을 갖게 되었어요. 이런 문제의식 아래서 푸코는 철학, 의학, 범죄학, 성적(性的) 영역 등에서 통용되는 지식들이 불변하는 진리를 담은 명제라기보다는 학문 외부에 있는 우연한 조건들 때문에 일정한 시대에 지식으로 여겨진다는 것을 보여 주고자 했죠. 이것을 밝혀내기 위해 푸코는 언표가 의미를 획득하여 지식이 되는 조건을 따져 봐야만 했어요. 그리고 그것은 지식이 지식으로 자리 잡는 순간을 밝혀내는 일이 되었답니다. 푸코는 이러한 내용의 작업을 고고학적이라고 부르는데, 이는 지하

에 묻힌 옛 신전이 어떻게 건축되었는지를 탐구하는 고고학자의 작업과 유사하기 때문이에요. 고고학자는 모든 종교의 신전들을 파헤치며 당시 사람들이 신에 대해 어떤 믿음을 나누었고 어떤 것을 진리라 여겼는지를 분석할 수 있어요. 말하자면 푸코는 철학, 의학 등의 학문을 신전으로 여기고 그것들을 고고학의 대상으로 삼았다고 할 수 있죠. 《광기의 역사》(1961), 《말과 사물》(1966), 《지식의 고고학》(1969) 같은 저서들이 이 시기의 작업이랍니다.

고고학에서 계보학으로

그런데 진리는 정말 시대에 따라 변화하는 것일까요? 우리는 흔히 진리는 영원불변하다고 생각하는데 진리가 변화한다는 건 무엇을 의미할까요? 푸코는 진리란 역사적으로 구성된 어떤 것이라고 생각했어요. 그렇다면 진리는 어떻게 구성되는 걸까요? 앞서 살펴본 푸코의 고고학적 방법론은 특정 시대가 어떤 특정한 규칙이나 관계에 따라 어떤 것을 진리로 생각하게 되는 조건을 파헤쳤지만, '왜, 어떻게 해서' 언표가 지식이 되고 진리의 반열에 오르게 되었는지에 대해서는 설명하지 못했어요. 다시 말해서 '왜' 또는 '어떻게'라는 질문에 대한 대답을 제시할 수 있는 또 다른 방법론이 필요했죠. 이런 이유로 푸코는 1970년대에 들어 고고학 대신 니체의 방법을 계승한 계보학적 방법론을 활용하게 되었답니다. 그렇다면 푸코 철학의 전기와 중기의 방법론으로 거론되는 고고학과 계보학의 관계는 어떨까요? 겉보기에 사뭇 달라 보이는 이 두 가지 방법은 상호 보완적인 관계라고 할 수 있어요. 1970년대 이후 푸코의 작업에서도 고고학적 방법론이 계속 사용되고 있다는 점과 실제 계보학적 방법론이 '왜' 또는 '어떻게'라는 질문에 답하기 위해서였다는 점을 생각해 보면 알 수 있죠. 사실 계보학적 연구가 가능하려면 역사적 사건을 객관적으로 볼 수 있게 해 주는 고고학적 방법론이 선행되어야 해요. 또한 지식이 탄생되는 바로 그 상황의 조건을 탐색하는 고고학적 방법론은 그러한 조건을 작동시키는 배후를 알게 해 주는 계보학적 방법론 없이는 문제시되는 상황을 완전히 설명할 수 없을 거예요.

계급투쟁

푸코 철학의 흐름과 변화 ②

계보학적 시기, 윤리학 시기

사실 계보학적 방법론은 고고학이 설명할 수 없었던 점을 보완한 것이라 할 수 있어요. 계보학 방법론의 특징은 한 시대의 지식 구성 조건으로 당대의 권력을 적극적으로 고려한다는 점이에요. 말하자면 우리가 지식이라고 부르는 것들은 권력과의 연계를 통해 만들어지고 퍼져 나간다는 거죠. 이것이 바로 근대를 통해 만들어진 권력의 얼굴이기도 해요. 사실 우리는 권력이라고 하면 늘 억압이나 검열과 관계된 이미지를 떠올려요. 하지만 푸코는 근대화된 권력이란 오히려 적극적으로 어떤 대상을 구성하고 학문적 체계를 생산하며 주체를 만들어 낸다고 주장해요.

계보학적 방법론의 실제 – 《감시와 처벌》

푸코는 《감시와 처벌》(1975)에서 범죄자에 대한 국가 권력의 처벌의 역사와 근대 감옥의 탄생을 다루었어요. 여기서 푸코는 근대 감옥의 탄생을 단순히 국가가 죄인을 처벌하기 위한 방법으로서가 아니라, 근대 권력과 범죄자의 관계 속에서 살펴봐야 한다고 주장했죠. 즉 18세기에 발생한 형벌 제도의 대대적인 변화가 진정으로 무엇을 겨냥했는가를 실증적으로 살펴봐야 한다는 거예요. 범죄자를 감옥에 격리 수용하기 이전의 형벌 제도는 신체에 직접적으로 가해지는 물리적 체벌의 형태였어요. 하지만 태형(笞刑)에서 단두형(斷頭刑)에 이르기까지 가혹한 형태를 띠었던 형벌 제도는 계몽주의의 확산과 더불어 변하게 되었죠. 계몽주의자들은 형벌 제도가 너무 잔혹해서 비인간적으로 보인다는 이유로 당시의 형벌 제도를 비판했어요. 그들이 요구했던 처벌의 인간화는 수감(收監)이라는 형벌 제도로 자리 잡게 되었고 그것이 바로 감옥의 탄생으로 이어졌답니다. 하지만 푸코가 보기에 수감제도는 그것이 가지고 있는 표면적인 관대함과는 달리 사실상 처벌 효과를 극대화시키는 장치였어요. 감옥의 탄생은 인간의 몸을 구타하는 물리적 가혹성을 줄이는 데 반해 법과 규율을 어기면 반드시 처벌받게 된다는 보편성과 필연성을 증가시키는 효과를 가져왔죠. 사실 범죄자를 통제하는 가장 효과적인 수단은 체벌이 아니라 범죄 또는 범죄자에 대한 지식과 정보를 축적하는 거예요. 이렇게 축적된 지식은 이후 범죄자를 교화하거나 범죄를 예방하는 데 사용될 수 있거든요. 이렇게 해서 사법적 감금은 범죄를 예방하고 범죄자를 교정하며 모든 사회 구성원의 공공의 이익을 위해 사회가 처벌의 권한을 갖는 것을 정당화하고 합법화하는 거죠. 그런데 바로 여기에 문제가 있어요.

이렇게 되면 사회에서는 모든 구성원의 신체가 권력에 노출될 수밖에 없거든요. 우리 중 누가 범죄자가 될지 알 수 없기 때문에 권력은 우리 모두를 잠재적인 범죄자로 간주하고, 그 결과 우리는 통제하고 금지하며 조절하는 권력 앞에 놓이게 되는 거죠. 감옥뿐만 아니라 군대, 학교, 병원, 공장, 회사 등 모든 장소에서 권력은 우리의 신체를 효과적으로 통제하기 위해 여러 가지 기법을 사용하고 있어요. 신체를 길들이는 여러 기법들을 푸코는 '규율'이라고 불렀어요. 권력이 신체를 규율화하기 위해 고안해 낸 기법들이 모세혈관처럼 전 사회 영역을 관통하면서 사회 구성원들의 모든 것을 감시하는 사회가 바로 우리가 살고 있는 현대 사회의 참모습이에요. 이런 사회에서는 인간의 정체성 또한 규율, 즉 권력이 만들어요. 우리가 생각하는 '나'의 모습은 진정 내가 아닌, 권력이 만들어 내고 권력에 길들여진 '어떤 이'의 모습일 뿐이죠.

윤리학 시기

지식이 어떻게 성립되고 유포되었는지, 그리고 그것이 우리의 삶에 어떤 영향을 미치는가를 비판적으로 탐구하던 푸코는 이후 각자의 삶을 보다 적극적으로 만들어 나갈 방법을 모색하는 쪽으로 연구 방향을 옮겨간답니다. 외부에서 삶을 규정하는 방식들로부터 벗어나 스스로 삶을 자율적으로 구성해 나갈 수 있는 방법에 대해 탐구하는 작업을 윤리학 또는 '실존 미학(Esthétique de L'existence)'이라 불러요. 이를 위해 푸코는 주된 연구 대상이던 르네상스에서 근대에 이르는 역사적 시기를 떠나 고대 그리스와 로마의 문헌들을 연구했어요. 그리스인과 로마인들은 획일적으로 규정된 외부의 규칙에 종속되기보다는 자유인으로서의 삶의 규칙을 독자적으로 창조했는데, 푸코는 이를 새로운 의미의 주체 모습으로 살 수 있는 방법으로 여겼던 것 같아요. 이에 대한 연구가 후기의 저작인 《성의 역사》(1984) 2, 3권과 1981~1982년에 걸쳐 콜레주 드 프랑스에서 했던 강의 내용을 기록한 《주체의 해석학》(2001)이랍니다.

계급투쟁

《광기의 역사》는 어떤 책일까?

대학에서 철학을 공부하던 푸코는 정신의학에도 흥미를 가지고 그 이론과 임상(臨床)을 연구하는 데 힘썼어요. 마침내 푸코는 정신의학의 역사에 대한 연구로 자신의 철학박사 학위논문을 완성하게 되는데, 바로 〈광기(狂氣)와 비이성(非理性) — 고전시대에서의 광기의 역사〉(1961)라는 제목의 논문이었죠. 이후 이 논문은 《광기의 역사》라는 제목으로 출판되어 푸코의 대표작 중 하나로 널리 알려지게 되었답니다. 이 같은 연구를 통해 푸코가 말하고자 했던 광기란 무엇이었을까요?

푸코가 본 '광기'

우선 푸코가 인식하는 광기는 많은 사람들이 생각하는 것과는 달랐어요. 정신질환, 사회적 부적응의 하나로 인식되어 온 광기를 매우 다른 시각으로 인식하고 제안했죠. 또 우리가 광기라고 부르는 것이 실제로는 이성 중심의 서구 문화가 포용하지 않고 배척했던 인간적 특성이라는 것을 밝히려고 했어요. 이와 같은 목적으로 중세시대부터 19세기까지 광기를 언급한 방대한 자료를 검토하여 광기를 둘러싼 논의와 개념의 형성과 변화 과정, 즉 광기를 둘러싼 앎의 역사를 밝히려고 했답니다.

푸코가 보기에 광기는 인식하는 방법에 따라 전혀 다른 가치를 갖는 것이었어요. 광기를 인식하는 방법 또한 시대에 따라 달랐죠. 17세기로 대표되는 고전주의 시대 이전까지 광기는 신비한 어떤 것으로 여겨졌답니다. 그래서 사람들은 광인을 두려워하거나 배척하는 대신 일반인과 조금 다른 사람 정도로만 생각했죠. 하지만 프랑스의 루이 14세가 칙령을 내려 대감호(大監護)를 실시하면서 광기를 보는 시선이 달라졌어요. 대감호란 빈민을 구빈원에 따로 수용하는 것이었어요. 이때 처음으로 광인들이 격리 수용의 대상이 되었죠. 정상·비정상의 잣대가 광인들을 비정상의 범주로 몰아내기 시작한 거예요. 이렇게 된 데에는 세 가지 이유가 있었어요. 첫째, 데카르트가 광기를 이성의 외부에 위치시키면서 광기는 비인간적인 특징으로 규정되었고, 그 결과 광기를 소유한 인간은 인간이 아닌 존재로 여기게 되었어요. 또 개신교의 영향을 받은 상인들이 근면함과 성실함을 도덕적 덕목으로 내세워 열심히 일하지 않는 사람들을 하느님의 사랑에 부응하기 위해 노력조차 하지 않는 부도덕한 사람으로 치부했던 것이 그 두 번째 이유죠. 마지막으로 국가도 이러한 상인들의 입장에 동조했다는 사실이에요. 국가의 부를 채우는 데 근면과 성실을 덕목으로 삼는 상인들의 힘이 적지 않았던 탓

에, 국가는 노동이 신성한 것이라고 말하는 상인들의 편을 들어주었던 거예요. 그 결과 노동의 현장에 투입될 수 없는 광인은 비정상으로 분류되어 사회로부터 격리되기 시작했어요.

그런데 17세기를 거치면서 부랑자나 걸인들처럼 단순히 비정상의 범주로 분류되었던 광인은 18세기를 지나 19세기로 접어들어 병리학이 발달하면서 질병을 가진 환자로 다루어지기 시작했답니다. 더불어 그들을 격리 수용하는 장소도 구빈원에서 정신 병원으로 바뀌고 수용의 내용도 단순 감호에서 치료로 바뀌었죠. 이런 시각은 지금까지도 계속되어 광기는 여전히 치료의 대상이며 광인은 치료가 필요한 환자라는 것에 아무도 이의를 제기하지 않아요.

그렇다면 이러한 시각은 정말 옳은 것일까요? 푸코는 이 점을 이상하게 여겼어요. 광인과 광기를 바라보는 시각이 역사에 따라 바뀌어 왔다면, 지금 우리가 광기를 바라보는 시선 또한 달라질 수 있지 않을까요? 만약 달라진다면 그것은 어떤 방식에 따라서일까요? 이후 푸코는 어떤 대상을 바라보고 인식하는 시각, 즉 앎 또는 지식이라는 것이 어떻게 구성되는지를 탐구하는 방향으로 연구를 전개했답니다. 그게 바로 《지식의 고고학》의 주된 내용이죠.

계급투쟁

언표와 언표의 좌표계

언표의 장 또는 언표들이 만들어 내는 언표의 좌표계란 무엇일까요? 이 질문에 답하기 위해서는 우선 언표가 무엇인지부터 살펴봐야겠죠? 아마 푸코의 설명을 접하기 전까지는 언표라는 용어조차 낯설었을 거예요. 푸코는 왜 이런 독특한 용어를 써야만 했던 걸까요? 푸코가 언표라는 용어를 도입할 수밖에 없었던 이유는 언어를 보는 푸코의 독특한 시각 때문이에요. 일반적으로 언어를 구성하는 원재료는 기호예요. 음성으로서의 기호도 문자로서의 기호도 모두 이 기호에 해당되죠. 우리는 흔히 이 기호들이 어떤 규칙을 따르게 되면 명제나 어구가 된다고 생각해 왔어요. 그런데 푸코는 기호들이 어떤 규칙을 따르기 이전의 단계가 있다는 것을 설명하기 위해 언표라는 용어를 끌어들였어요. 언표란 결국 기호들이 명제나 어구로 현실화될 수 있는 조건인 셈이에요. 기호들과 규칙들 간의 관계가 맺어지는 장으로서의 언표는 보통 기호들의 계열로 설명되는데, 푸코의 언표 이론의 핵심은 기호들의 계열이 언제 언표가 될 수 있는지를 살피는 데 있답니다.

기호에서 언표가 되는 방법

첫째, 기호들의 계열이 언표가 되기 위해서는 먼저 어떤 가능성의 장과 상관관계를 맺어야만 해요. 이 가능성의 장이란 대상과의 관계 맺기를 가능하게 하는, 다시 말해 어떤 대상들이 떠오르거나 대상과 기호 사이에 어떤 관계가 맺어지도록 할 수 있는 어떤 영역들의 집합, 개연성의 법칙들, 존재의 규칙들로 이루어진 좌표계라고 할 수 있어요. 쉽게 이야기하자면, 기호들의 계열이 언표가 되었다고 해서 의미를 획득하게 되는 것은 아니라는 거예요. 언어의 원재료인 기호들의 계열은 가능성의 장과 관련됨으로써 언표의 수준으로 떠오르고, 언표들이 어떠한 규칙이나 규정성에 따라 마름질될 때 비로소 명제나 어구로 자리 잡을 수 있게 된다는 거죠.

난 여기.
나는 여기에 꼭 필요해.

둘째, 언어의 원재료인 기호가 언표가 되기 위해서는 기호를 발화하는 주체와 일정한 관계를 맺어

야 해요. 언표는 분명 주체와 일정한 관계 맺기를 하지만 언표가 주체에 귀속되는 것은 아니에요. 다시 말해 글쓴이 또는 말하는 이가 곧 언표의 주체는 아니라는 거예요. 또 문법상의 주어에 해당하는 것도 아니랍니다. 주체는 언표라는 가능성의 장 속에서 스스로 차지할 수 있는 위치들일 뿐이에요. 결국 언어의 외부에 존재하는 주체는 언표들로 이루어진 좌표의 어떤 위치에 자리함으로써 주체가 될 수 있는 거랍니다.

셋째, 기호가 언표가 되기 위해서는 의미망을 형성하는 가능성의 장이 필요해요. 예를 들면 문맥이나 관례 같은 다른 언표들과의 관계들을 의미하죠. 즉 자신의 지위를 부여해 주는 관계들에 머무르거나 아니면 그것으로부터 벗어남을 통해 의미를 현실화할 수 있는 가능성의 공간을 필요로 한다는 거예요. 기존의 언표들과 어떤 관계를 맺느냐에 따라 이 기호들이 갖게 될 의미는 달라질 수 있어요. 이런 의미에서 언표는 여러 개로 펼쳐진 의미들 중 하나로 나아갈 수 있는 가능성의 공간으로 이해될 수 있을 거예요.

마지막으로 언표는 제도와 같은 물질적 실존을 가져야 해요. 그런데 이 물질적 실존이란 반복 가능한 것이어야 하죠. 이때의 '물질적'이라는 표현은 단순히 기록되거나 소리를 통해 발화되는 것을 말하는 것이 아니라 언표의 제도적 차원을 일컫는 거예요. 그래야만 여러 다른 언어 수행들 중 하나로 인정받을 수 있을 테니까요. 각각의 언표는 이러한 물질성의 장, 즉 제도적 틀 속에서 반복돼요.

언표의 좌표계

이처럼 언표는 단 하나가 아니라 복수로 존재하는 가능성의 장이라 할 수 있어요. 그런데 언표는 다른 언표들과의 관계에 따라 좌표를 형성할 수 있어요. 이 언표의 좌표가 역동적으로 움직일 때 담론이 만들어지는 거죠. 좌표란 원래 우리가 어떤 대상의 위치를 객관적으로 파악하기 위해 다른 대상들과의 관계를 바탕으로 만들어 낸 임의의 공간적 위치일 뿐이에요. 그런데 언표가 만들어 내는 언표의 좌표는 설명하기가 더 힘들어요. 왜냐하면, 언표는 늘 무언가로 변해가는 활동의 상태에 있기 때문이에요. 생성 중인 다른 언표들과의 관계 속에서 자신의 위치와 의미를 만들어 가는, 매 순간 변화를 겪고 있는 그래서 고정될 수 없는 좌표를 갖는 것이 바로 언표죠.

계급투쟁

담론(discours)이란 무엇일까?

언어가 명제, 상징, 담화로 규정되기 전, 원재료 상태로 존재하는 기호들의 집합이 언표라는 건 앞에서 살펴봤어요. 좀 더 자세히 말하면 언표란 기호들의 집합이 대상들의 영역과 관계 맺을 수 있도록 하는 양식이자 주체에게 일정한 위치를 규정해 줄 수 있도록 하는 양식이며, 기존의 다른 언어적 수행들과 관계를 맺도록 하는 양식이죠. 마지막으로 반복 가능한 물질성을 지닐 수 있도록 해 주는 양식이라고 할 수 있어요. 이런 언표들이 모여 담론이라는 것을 형성하게 되는데, 언표가 담론이 되기 위해서는 언표들이 분산되고 재분배되는 일정한 규칙을 따라야 해요. 말하자면 담론은 특정 대상이나 개념에 대한 지식을 생성시킴으로써 현실에 관한 설명을 산출하는 언표들의 집합체 같은 거예요.

그런데 푸코는 담론이 권력과 지식이 결탁해서 작동되는 언표들의 집합이라고 얘기했어요. 또 담론을 작동시키는 두 항인 지식과 권력은 근대 이후 점차적으로 정교하게 얽혀들고 있다고 말했죠. 합리성을 주장하는 계몽주의가 사회적 영향력을 넓혔던 근대 이후로 권력은 점점 더 지식 뒤에 숨어 자신의 모습을 숨긴 채 담론을 작동시키고 있었다는 거죠. 푸코가 말하는 담론에 대해 좀 더 알아볼까요?

담
론

푸코가 말하는 담론이란?

첫째, 담론은 동시에 여러 개가 존재하며 이 담론들은 각각 서로에 대해 불연속성을 갖고 있다고 했어요. 말하자면 다양한 담론들 사이에는 소통이나 대화가 아니라 단절이 존재한다는 거죠. 따라서 담론들은 서로 교차하기도 하고 이웃하기도 하지만 서로를 무시하거나 배제하는 불연속적인 실천들로 봐야 해요.

둘째, 담론은 특정성을 갖고 있어요. 하나의 담론 안에서는 특정한 형태의 발언과 소통만이 가능하며 모든 담론들이 공통으로 가질 수 있는 형태의 실천이란 없어요. 담론이 갖는 이러한 특정성은 하나의 담론 안에서 특정한 것만이 소통될 수 있게 하는 규칙이라 할 수 있죠.

셋째, 담론은 외재성을 갖는다는 거예요. 담론은 담론을 가능하게 하는 외부적인 조건들이 만든다는 뜻이죠. 이 외부적 조건들이 바로 권력과 관련되는 부분이에요.

마지막으로 담론은 계승이 아니라 전복으로 자리를 잡게 된다는 거예요. 동시에 다수가 존재하는 담론은 늘 주류 담론과 비주류 담론이 있을 수밖에 없어요. 하나의 담론이 주류 담론으로 자리 잡게 될 때, 그것은 기존의 담론을 전복하는 방식으로 이루어지며, 그 결과 기존의 담론이 억압하고 은폐한 것을 드러내게 되죠. 따라서 새로운 담론은 기존의 담론이 강제했던 실천을 넘어선 곳에서 이루어지게 된다는 거예요.

실제로 우리 사회에도 많은 담론들이 있어요. 건강을 둘러싼 담론들, 부의 분배를 둘러싼 담론들, 성(性)에 관한 문제를 둘러싼 담론들……. 하지만 어떤 문제든 늘 하나의 지배적 담론이 다른 담론들을 배제하고 은폐시켜 버려요. 푸코가 말하는 담론에 관한 이론은 지배적인 담론과 그것이 양산해내는 지식들을 옹호한다기보다는 권력과 협업하는 보편적 지식의 패러다임 속에서 배제되고 은폐되어 알려지지 않은 개별 사건이나 우연한 사건들을 살펴봐야 한다는 거예요. 배제되고 은폐된 담론들을 연구할 때, 우리는 비로소 그 담론들이 왜 배제되고 은폐되었는지를 알게 되고 당시의 지배적인 담론의 성격, 즉 그 담론과 권력 사이의 관계를 밝혀낼 수 있으니까요. 우리가 권력과 지식의 구성물, 즉 담론이 만든 틀에서 벗어나 각각의 담론들이나 개별 사건들에서 발견되는 특이성을 식별해내기를 바라는 푸코의 의지가 바로 이 담론 분석에 담겨 있는 셈이죠.

미셸 푸코 지식의 고고학

조희원 글 | 조명원 그림

01 《지식의 고고학》을 쓴 사람은 누구일까요?

① 니체　② 데카르트　③ 푸코　④ 소쉬르　⑤ 프로이트

02 고고학적 방법론에 대한 설명으로 틀린 것은 무엇일까요?

① 이미 조직화되어 있는 기록의 요소들을 풀어낸다.

② 정해진 맥락이 없이 대상들을 다룬다.

③ 기록되지 않고 과거에 묻혀 있는 사물들을 연구한다.

④ 인간의 시각과 말로 특정 사건을 해석하지 않는다.

⑤ 인간의 삶 속에서 나타나는 특정 사건을 집단적 이미지에 비추어 기억화하는 작업과 관련이 있다.

03 아래의 설명 중 빈 칸에 들어간 단어는 무엇일까요?

목적론적 역사주의에 반대한 푸코는 변함없이 영원한 토대를 찾으려는 시도 대신 토대를 쇄신케 하는 ○○의 문제로 관심을 옮긴다. ○○이라는 개념은 하나의 체계가 자신의 본모습을 완전히 바꾸어 다른 체계가 되는 것을 의미하는데, 이론가에 따라 여러 이름으로 불려 왔으나 궁극적으로는 모두 '불연속'을 뜻한다.

① 변화　② 변환　③ 전통　④ 역사　⑤ 분리

04 '언표'에 대해 푸코가 던진 질문으로 올바른 것은 무엇일까요?

① 이 언표는 도대체 왜 그 시기, 그 장소에 나타난 걸까?

② 이 언표는 어떠한 규칙으로 구성되었을까?

③ 이 언표와 유사한 다른 언표들도 같은 원리로 구성될까?

④ 이 언표와 유사한 다른 언표들은 어떤 규칙에 따라 구성될까?

⑤ 이 언표들로 구성되는 보편적 언어 체계는 무엇일까?

05 20세기 중반 프랑스에서 시작된 이 철학 사상은 어떤 대상의 의미를 개별적 요소가 아닌 전체적인 체계 안에서 규정하려는 사상입니다. 언어학자 소쉬르, 인류학자 레브스트로스 등이 이 철학 사상의 대표적인 사상가로 꼽히는데요. 이 철학 사상은 무엇일까요?

① 해체주의 ② 개인주의 ③ 구조주의

④ 집단주의 ⑤ 체계주의

06 ④ : 푸코는 우리가 인식이나 사유 활동을 하기 전에 먼저 언어 규칙을 습득하게 되기 때문에 담론이란 인식하고 사유하는 주체의 의사 표현이 아니라 '~라고 말해지는' 것들로 이루어진다고 생각했습니다.

07 에피스테메 / 08 라캉

09 계보학 : 계보학은 주체가 특정한 목적의식을 가지고 역사를 창조하며 조율해 나간다는 전통적 역사 철학의 입장을 거부한 방법론으로 니체가 먼저 사용했던 것이기도 합니다.

10 권력은 지식과 결탁하여 사회를 하나의 거대한 감옥으로 만듭니다.

: 푸코는 권력은 자신에게 유리한 방식으로 지식을 만들어 내어, 일상의 문화와 언어에 침투해 은밀한 방식으로 사람들을 지배한다고 주장했습니다.

06 푸코가 말한 '담론'의 성질과 관련된 설명 중 틀린 것은 무엇일까요?

① 담론은 동시에 여러 개가 존재하며, 이 담론들은 각각 서로에 대해 연속적이지 않다.

② 하나의 담론 안에는 특정한 형태의 발언과 소통만이 가능하며 모든 담론들이 공통으로 가질 수 있는 형태의 실천이란 없다.

③ 담론은 담론을 가능하게 하는 외부적인 조건, 즉 권력이 만든다.

④ 담론은 개인과 개인 사이의 의견 교환에 의해 규정되는 것이다.

⑤ 하나의 담론이 주류 담론이 되면, 그것은 기존의 담론을 전복하는 방식으로 이루어진다.

07 푸코는 '시대'를 동일한 규칙이 적용되는 시간의 블록으로 다루지 않고, 일정 시기에 특정하게 규정된 담론이 어떻게 실천되는가의 문제와 관련되어 있다는 고고학적 입장을 취했습니다. 이렇게 한 시대에 나타난 담론들을 분석할 때 알게 되는, 일정한 시대에 지식을 발생시키는 담론의 실천들이 맺을 수 있는 관계들의 집합을 무엇이라고 할까요?

정답

01 ③

02 ⑤ : 고고학적 방법론은 인간의 삶 속에서 나타난 특정 사건을 인간중심적 관점에서 기억화하고 문서로 조직하던 기존의 역사 연구법과 달리, 이미 조직화된 기록의 요소를 정해진 맥락 없이 끄집어내 연구하는 것입니다.

03 ② : 어떤 이론가는 변환을 '문턱'이라 불렀고, 어떤 이론가는 '단절'이라고도 불렀습니다.

04 ① : 푸코는 언표가 나타난 상황의 특수하고 구체적인 의미를 밝히는 것을 더 중요시했습니다.

05 ③

08 아래와 같이 주장한 프랑스의 정신분석학자는 누구일까요?

인간은 성장해 가는 동안 상상계와 상징계를 거친다. 상상계에서는 자신의 어떤 이미지와 동일시하는데, 이것은 언어를 구사하기 이전 시기이다. 언어를 완전히 습득하게 되면 인간은 언어 질서가 지배하는 상징계로 들어선다.

09 푸코는 인간 삶의 보편적 구조를 찾는 구조를 찾는 대신에 지식이 우리 사람에 구체적으로 어떤 작용을 하는지 탐구하고자, 어떤 담론의 계보를 따져 그 기원으로 거슬러 올라가는 방법론을 사용했습니다. 현재 당연하게 여겨지는 것의 기원을 찾아 밝히는 이 방법론은 무엇일까요?

10 푸코가 《광기의 역사》, 《감시와 처벌》과 같은 저술을 통해 드러낸 권력의 문제점은 무엇일까요?

역사호